Y MAB DAROGAN

Y MAB DAROGAN

Nofel am ddyddiau cynnar
Owain Glyndŵr,
arwr cenedlaethol Cymru

gan
Bronwen Hosie
(addasiad Cymraeg gan Haf Roberts)

Rhif Llyfr Safonol Rhyngwladol:
0-86381-780-7

Cynllun clawr: Sian Parri
Llun clawr a lluniau thu mewn: Dylan Williams

Argraffwyd a chyhoeddwyd gan Wasg Carreg Gwalch,
12 Iard yr Orsaf, Llanrwst, Dyffryn Conwy, LL26 0EH.
☏ 01492 642031
🖷 01492 641502
✉ llyfrau@carreg-gwalch.co.uk
Lle ar y we: www.carreg-gwalch.co.uk

i'm gŵr,
Alistair, a'm meibion,
Alistair, Russell ac Ewen

TEYRNAS
OWAIN GLYNDŴR
1404
Biwmares
MÔN
Conwy
Rhuddlan
Llanelwy
Y Fflint
Caer
Dinbych
Rhuthun
Afon Clwyd
Caernarfon
Yr Wyddfa
Glyndyfrdwy
Afon Dyfrdwy
Croesoswallt
Harlech
Sycharth
Y Berwyn
Bermo
Yr Amwythig
Dolgellau
Cader Idris
Machynlleth
Afon Hafren
Pennal
Mynydd Hyddgen
Aberystwyth
Llanbadarn
Pumlumon
Llwydlo
Pilalau
Strata Florida
Rhaeadr Gwy
Afon Llugwy
Bryn Woodbury
Aberteifi
Afon Teifi
Afon Gwy
Y Gelli
Henffordd
Afon Tywi
Castellnewydd Emlyn
Mynydd Du
Tyddewi
Aberhonddu
Llansanffraid
Kentchurch Campston
Caerfyrddin
Llandeilo
Hwlffordd
Trefynwy
Abergafenni
Llansteffan
Casllwchwr
Bannau Brycheiniog
Craig y Dorth
Afon Wysg
Cydweli
Bryn Buga
Penrhyn
Aberdaugleddau
Gŵyr
Casnewydd
Dinbych-y-pysgod
Coety
Caerdydd
GRADDFA
5 10 15 20 25

Haf Hirfelyn

Mae dechrau'r haf yn amser pleserus iawn, gydag adar yn canu, planhigion yn ir, erydr yn y cwysi, ych yn yr iau, y môr yn wyrdd a'r ddaear yn lliwiau hardd. Hwn oedd yr haf gorau a brofodd Owain erioed. Dywedai ei dad ei bod hi'n haf hirfelyn gan fod yr haul wedi codi'n boeth yn yr awyr bob dydd a'r cynhaeaf ar y diwedd wedi bod yn un toreithiog. Ond pa ots gan fachgen bach am dynged cnydau a phethau felly – pethau eraill oedd yn mynd â'i fryd; dawns yr ŷd euraid yn donnau yn yr awel, pabi fflamgoch mewn gwres crasboeth yn sbloet o liw yn erbyn giât y ddôl, edafedd sidan gwe pry cop yn glynu wrth goesau lliw haul, llygad y dydd dirifedi'n troi glannau'r afonydd yn garped o eira gwyn yng nghanol y tes a throchi traed yn y nentydd a'r pysgod bychain yn gynnwrf i gyd yn erbyn bysedd y traed, yn arian gloyw o'u pen i'w cynffon.

Byddent yn rasio hyd y llethrau, dan chwarae gemau a rhannu cyfrinachau, hyd nes i'r cysgodion a oedd gynt yn dilyn olion eu traed ddechrau diflannu wrth i'r haul gael digon ar hwyl y dydd, a dweud ffarwél am y tro. Bryd hynny, byddai newyn yn eu taro mwyaf sydyn, a byddent yn sgrialu am adref gan deimlo bod rhyw olion traed hynafol yn tywys eu camau yn y golau egwan. Wedi iddynt gyrraedd byddai eu mam yn disgwyl amdanynt yn bryderus, nyrs yn parablu'n ddig am ysbrydion y nos a'r bwrdd derw mawr yn llawn danteithion i'w bwyta.

Yr haf hwnnw daeth eu cefndryd i'w gweld, oherwydd roedd chwaer eu mam wedi esgor ar faban newydd yn y gwanwyn ac wedi dod ag ef i'w ddangos. Edrychodd y bechgyn yn syn ar eu mam, Elin Fychan, yn dotio at y baban bach. Safai uwchben y crud yn gwneud synau ac yn sibrwd geiriau gwirion wrth Maredudd fochgoch, gan edmygu perffeithrwydd ei fysedd bychain, llyfnder ei ben ôl bach pinc a'i grio cyhyrog, iach. Er tlysed y bychan, ni allai'r bechgyn ddeall hyn, oherwydd gwyddent o'r gorau nad oedd neb tlysach yn bod ar wyneb y ddaear na Lowri eu chwaer fach a aned yr haf diwethaf, gyda'i gwên lawen, ei gwallt euraidd tlws a'i pharablu diystyr.

Swcrodd eu mam hwy i fynd yn nes at y crud i weld Maredudd Tudur. Syllodd Owain, mab hynaf Gruffudd Fychan, ar fab ieuengaf Tudur Fychan, gyda'i fop o wallt cyrls coch a'i geg goch flin, ac amneidiodd, o ddyletswydd bron, am iddo wybod mai dyna'r oedd ei fam yn disgwyl iddo'i wneud, a gwenodd hithau arno am hynny. Cyffyrddodd Tudur yn y swigod llaeth a oedd yn sglefrian i lawr gên y baban bach.

'Baban bach arbennig iawn yn sicr,' cyhoeddodd ei fodryb, gan redeg ei bysedd yn gariadus drwy wallt trwchus Maredudd.

Wedi hynny, prin yr edrychodd Owain a Tudur ar eu cefnder ieuengaf, oherwydd y cefndryd hŷn oedd yn mynd â'u bryd hwy.

Roedd gan Tudur Fychan bump o feibion – hanner brodyr oedd y pedwar hynaf i Maredudd, y baban, gan mai ail wraig oedd ei fam i'w tad, wedi i'w wraig gyntaf farw. Gronwy oedd yr hynaf. Roedd yntau bron yn ddyn, ac roedd ganddo farf fechan yr oedd yn falch iawn ohoni ar flaen ei ên, a chwerthiniad uchel, iach a wnâi iddo daflu ei ben yn ôl a dangos ei ddannedd gwynion taclus wrth iddo adrodd straeon celwydd golau wrthynt neu wrth redeg ar ôl y morwynion llaeth hyd y dolydd gleision.

Rhedodd Owain a Tudur at eu mam i ddweud wrthi bod Gronwy'n rhedeg ar ôl y morwynion.

'Dim ond tynnu coes oeddwn i,' eglurodd wrth ei fodryb, yn llawn diniweidrwydd, 'ac maen nhw wrth eu boddau mewn gwirionedd.' Syllodd Owain yn gegagored wrth weld ei fam yn hanner ceryddu Gronwy dan chwerthin. Dim ond ysgwyd ei phen heb ddweud dim wnaeth eu Modryb Marged.

Un tawel iawn oedd Ednyfed. Gan amlaf, treuliai ei ddyddiau ar ei ben ei hun, yn cael pleser o eistedd yn y berllan neu grwydro'n ddigwmni drwy'r coed. Cafodd Owain a'r gweddill ambell awr bleserus yn ceisio canfod ei guddfan ac, wedi iddynt lwyddo, byddent yn torri ar ei draws yn greulon, gan ddifetha'i lonyddwch gyda'u sŵn aflafar.

Teimlai Owain biti dros Ednyfed ambell waith gan ei fod yntau hefyd yn hoff o fod ar ei ben ei hun ar adegau – heb Tudur a Lowri dlos hyd yn oed, yn enwedig pan oedd mewn un o'i 'hwyliau' fel y dywedai ei fam. Bryd hynny, fe redai i fyny i'r bryniau ar ei ben ei hun, neu yn y gaeaf, cuddiai yn y gwellt cynnes yn y stabl neu sleifiai heb i neb ei weld i'r beudy lle byddai'r stêm yn codi oddi ar gefnau'r gwartheg yn y gwyll uwch ei ben.

Rhys a Gwilym oedd y ddau arall. Cyfeiriai ei fam atynt fel 'dau fentrus'. Roeddent yn hŷn nag Owain a thrwy'r haf bu'n ceisio bod cystal â hwy yn eu chwarae afreolus, eu campau gwirion a'u gorchestion peryglus o ddringo neu ddeifio o greigiau uchel i byllau duon dyfnion islaw. Pwy a ŵyr beth fyddai wedi digwydd oni bai fod eu mam wedi rhoi terfyn ar y cwbl, gan fod Tudur wedi brifo'i fraich wrth geisio copïo Owain a oedd yn copïo Rhys a Gwilym.

Felly aeth gweddill yr haf rhagddo yn dawelach. Dim ond yn y dolydd y câi'r bechgyn chwarae – rhedant ar ôl glöynnod byw, eu clymu wrth linyn a'u gwylio'n dawnsio dawns yr enfys yn uchel yn yr awyr. Byddent hefyd yn ceisio dal sioncod y gwair cysglyd a lynai wrth y glaswellt, a'u cadw'n garcharorion wedyn yn eu dyrnau tynn gan weld pwy fedrai ddal hwyaf. Ambell waith, gyda'r nos, ceisiai'r bechgyn siglo ar hen raffau a grogai o'r trawst uchaf yn y sgubor, gan ddisgwyl i'r rhaff ddatod uwch eu pennau gan wneud i un ohonynt chwyrlïo mewn cylchoedd tua'r llawr drwy'r

cysgodion.

Pan aeth y pum cefnder, eu mam a'u gweision adref i Fôn, roedd y tŷ yn rhyfedd o wag. Cwerylai Owain a Tudur ac ni wyddent beth i'w wneud â'u hamser; wylai Lowri am y baban ac aeth y morwynion llaeth ymlaen â'u gwaith yn ddi-hwyl ac yn sur eu gwep.

Yn fuan wedyn trawyd Gruffudd Fychan gan salwch na allai unrhyw ofal na moddion ei wella.

Ymhen dim o dro, wrth i eira cynta'r gaeaf ffurfio'n drwch ar gopaon y mynyddoedd, ac wrth i Ŵyl Farthin ddynesu, bu farw eu tad.

Lle Dieithr

Cerddodd y Rhingyll yn y Gyfraith yn fân ac yn fuan i mewn i'r ystafell. Roedd wedi'i wisgo'n briodol ar gyfer ei swydd mewn gŵn laes o felfed lliwgar, gyda'r gwaelod yn llusgo'n ysgafn ar hyd y llawr y tu ôl iddo. O amgylch ei ysgwyddau crogai siôl o wlân oen gwyn, gyda chwcwll drosti a dau yddfdorch cyfoethog eu lliw o liain sidan yn hongian yn daclus at ei ganol, ac yn disgleirio wrth iddo symud o'r cysgod i'r golau. Gwisgai benwisg syml ar ei ben.

Roedd Owain a Gruffudd wedi bod yn edrych allan ar y stryd islaw, nid bod unrhyw beth o ddiddordeb yno i'w difyrru. Prin y gellid dweud bod y golomen farw a orweddai'n wlyb diferol ar yr arfbais oddi tanynt yn ddifyr. Doedd y tywydd 'fawr o help – roedd hi'n un o'r dyddiau di-liw hynny gydag awyr lwyd a diflas, ac yn poeri diferion glaw budr ac oer ar doeau, i lawr waliau, ac ar chwareli ffenestri. Diwrnod i aros dan do ac anadlu aer glân a chlir.

Trodd y ddau fachgen a oedd yn sefyll wrth y ffenestr pan glywsant Dafydd Hanmer yn dod i mewn a chamu'n fonheddig yn nes at y bwrdd derw mawr yng nghanol y siambr. Safodd yn stond gan syllu arnynt am ennyd faith nes peri i'r bechgyn deimlo'n lletchwith. Symudai'r ddau o un droed i'r llall yn anghyfforddus, gan geisio'n ofer i osgoi ei drem tra oeddent yn aros am gael mynd oddi yno. Fodd bynnag, nid oedd yn ymddangos fel pe bai arno unrhyw frys i'w rhyddhau, a daliodd i edrych arnynt gyda diddordeb. Roedd Owain yn amau ei fod wedi deall bod y ddau ohonynt yn teimlo'n anghyfforddus iawn erbyn hyn. Gwenodd yn gynnes o'r diwedd, a chan bwyso ar draws y bwrdd, cydiodd yn dynn yn llaw ei fab Gruffudd a'i gwasgu. Gan droi at Owain, gwnaeth yr un peth.

Doedd Dafydd Hanmer ddim yn ŵr prin ei eiriau fel rheol, ond yr eiliad honno, y cyfan y gallai ei ddweud oedd, 'Wel, wel, fechgyn! Wel, wel yn wir!'

Ailadroddai ei hun sawl gwaith, a nodiai ei ben mor ffyrnig nes bod ei benwisg bron â syrthio. Newidiodd y geiriau:

'Da iawn, fechgyn, da iawn wir!'

Wedi hynny cafwyd tawelwch llethol ac annifyr nes i Owain ofyn a gâi ei law yn ôl, os gweler yn dda, a dechreuodd y tri chwerthin.

'Na phoener fechgyn,' ychwanegodd Dafydd Hanmer, 'Fydda i ddim yn dal gafael arnoch yn hir oherwydd rwy'n siwr bod eich ysgol newydd yn aros yn eiddgar am eich dyfodiad.'

Sylwodd Owain ar y pefrio chwareus yn ei lygaid, ond ymataliodd rhag ymateb gyda'r hiwmor sych a'i nodweddai fel rheol, oherwydd gwyddai o brofiad fod clyfrwch o'r fath yn arwain yn amlach na pheidio at godi aeliau a chael ei gywiro. Roedd cynildeb y llygaid yn pefrio y tu hwnt i ddeall

Gruffudd, gan fod yn well ganddo ef hiwmor plaenach. Cofleidiodd ei dad a safai yn y drws. Cofleidiodd Owain yntau'r gŵr a ofalodd mor garedig amdano ef wedi i'w dad farw ar ddiwedd yr haf tyngedfennol hwnnw, oherwydd roedd Dafydd Hanmer a'i wraig Angharad wedi ei garu fel pe bai'n un ohonynt hwy. Roedd eu meibion, Gruffudd, John a Philip fel tri brawd arall i Owain, a chwaer fach annwyl arall ym Marged, er ei bod yn eithriadol esgyrnog ac yn ei ddilyn fel cysgod i bob man ac mor anodd â gele ar groen i gael gwared ohoni.

'Chei di mo nilyn i i Loegr, wningen fechan,' tynnodd ei choes, 'dim ond bechgyn gaiff fynd i'r ysgol,' ac roedd wedi curo ei thraed ar y llawr ac ymosod arno fel un o fleiddiaid peryclaf Powys. Roedd Owain wedi rhedeg at y pwll tra oedd hi'n dal i gydio'n dynn yn ei ddillad, ac roedd wedi'i thaflu i mewn. Roedd yn bell iawn oddi wrth Marged yn awr.

'Cofiwch fy ngeiriau fechgyn,' meddai Dafydd Hanmer, a gwridodd Owain am iddo freuddwydio drwy hanner cyntaf yr araith am redeg ar ôl cwningod drwy Bowys, yn hytrach na gwrando ar gyngor da ei warcheidwad, 'ac fe fyddwch chi'ch dau'n gwneud yn dda. Dof i'ch gweld pan ddaw cyfle a boed i Dduw fod gyda chi.'

Unwaith yr oeddent y tu allan i'r siambr, cawsant eu hysio ar hyd y coridorau dirifedi gan glerc ifanc nerfus â phlorod dros ei wyneb a arweiniodd y ddau i'r stryd gan bwyntio'i fys esgyrnog, a oedd â gewin wedi'i gnoi at y byw bron, tuag at gyfeiriad eu hysgol newydd.

Gosododd y bore cyntaf hwnnw yn San Steffan – yn *Westminster,* Llundain batrwm i'r blynyddoedd oedd i ddod. Bob dydd, deffrai Owain i ganu di-baid clychau'r ddinas ac i sŵn na freuddwydiai y gallai ei debyg fodoli hyd yn oed yn ei hunllefau; sŵn amhersain dynoliaeth yn llifo i'r strydoedd, eu crio, eu chwerthin, eu sgrechfeydd a'u gweiddi. Torfeydd o eneidiau byw yn brwydro am eu gofod eu hunain, am oroesi, am eu darn bach hwy o aer i'w anadlu yn strydoedd budron Llundain.

Roedd rhyw arogl, y drewdod mwyaf ffiaidd, wedi mygu Owain ar y dechrau, nes ei fod yn ymladd am ei anadl ac yn dyheu am awyr iach ei hen fywyd yn y mynyddoedd a'r caeau. Ond doedd dim mynyddoedd yma, dim hyd yn oed bryncyn bach, ac roedd y gorffennol yn ymddangos fel dim byd ond breuddwyd. Roedd y byd dieithr hwn o'i gwmpas yn awr fel realiti creulon yn drysu ei synhwyrau i gyd.

Gwellodd pethau'n yn raddol bach. Nid bod y bedlam wedi peidio na'r sŵn wedi distewi na'r arogl wedi diflannu dros nos fel rhyw stori hud a lledrith. Na, daeth pethau'n well fel y mae'n rhaid i bethau wella wrth i'r ifanc allu cynefino â'r newydd yn fwy didrafferth na phobl hŷn. A law yn llaw â'r gallu hwn i gynefino daw rhyw chwilfrydedd sy'n troi'n bleser wrth archwilio lle newydd a dieithr.

Canfu Owain fyd o strydoedd dirifedi gyda thai un ar ôl y llall blith draphlith ar draws ei gilydd. Arweiniai strydoedd culion caregog at fannau cudd a lonydd cysgodol yn llawn mwd llysnafeddog, gwastraff o geginau a charthion dynol yn fwyd i foch tewion, crwydrol. Daeth y mannau hyn i gyd yn gaeau chwarae iddo ac ymhen y rhawg canfu nid yn unig dlodi, ond cyfoeth hefyd a phersawrau melys iawn ar adegau.

Ar ddechrau'r diwrnod ysgol roedd yn arferiad i wneud arwydd y groes ar draws y fynwes. Yna gyda'r geg ar agor led y pen, adroddid y gred yn undonog deirgwaith drosodd a chyferchid y Forwyn Fair Fendigaid bum gwaith, yn union fel pe bai'r cyfan wedi ymgasglu yn y geg ben bore, yn dyheu am ddianc i'r awyr llygredig fel rhyw ffrwd o anwedd sanctaidd. Pe bai unrhyw un o'r bechgyn yn codi ei lais, yn drysu ei eiriau neu'n edrych draw, roedd y wialen wrth law bob amser i gosbi a cheryddu. Doedd Owain a Gruffudd ddim yn credu y byddent byth yn dod yn rhyw hoff iawn o'r ysgol. Roedd rhai o'r meistri yn ddigon clên ac yn groesawus iawn. Ymdebygai un ohonynt, meddai Owain wrth Gruffudd, i Sant Iago – roedd wedi gweld llun ohono mewn llyfr a ddangoswyd iddo pan oedd yn ifanc iawn. Dynes garedig ag arogl dŵr rhosod arni, ac edafedd arian main wedi'i wau yn y rhychau ar ei hwyneb, oedd perchennog y llyfr hwnnw.

'Sut gwyddoch chi mai Sant Iago ydi o?' gofynnodd Owain, ac roedd y wraig wedi gwenu arno a rhoi ei llaw'n dyner ar ei ben.

'Edrych,' pwyntiodd gyda bys main, 'cragen gocos sydd ar ei fantell – dyna'i arwydd.' Roedd Owain wedi gweld yr arwydd, a phan gaeodd yr hen wraig y llyfr, rhedodd ei fysedd ar hyd yr eurwe godidog ar y clawr a thywysodd hithau ei law wedyn i gau'r ddau fwcl aur a oedd yn dal y clawr ynghau.

Roedd un meistr yn wahanol iawn i'r gweddill. Dyn afluniaidd a rhyfedd iawn, gyda gên drom a gwefusau gwlybion bob amser. Byseddai'r wialen yn ei lawes yn barhaus, a chymerai ddiddordeb arbennig yn nyfodiad y ddau, gan edrych yn amheus arnynt oddi tan ei aeliau trwchus. Sibrydodd un o'r bechgyn hŷn rybudd yn eu clustiau.

'Gwyliwch y corrach,' meddai, 'a gwnewch yn siwr na fyddwch byth ar eich pen eich hun gydag ef.'

Bob bore, cadwyd at yr un drefn, waeth pa dywydd na pha adeg o'r flwyddyn oedd hi – gwneud y gwlâu, golchi'r dwylo, gorymdeithio i'r eglwys, gyda'r corrach yn dynn wrth eu sodlau a chadw llygad barcud arnynt i ofalu nad oedd neb yn rhoi cam o'i le, neb yn sgipio, neb yn sgwrsio, neb yn codi carreg, neb yn cyffwrdd dim byd nac yn gwneud dim byd. Clywsai Owain am feistr mewn tref arall oedd wedi dringo coeden helyg uwchlaw pwll melin er mwyn torri gwialennod. Roedd wedi syrthio o'r canghennau i'r pwll a boddi. Ni allai'r bechgyn ddychmygu'r epa hwn gyda'i freichiau hir fyth yn colli gafael mewn coeden.

Dilynwyd yr un drefn yn yr eglwys bob tro – ymgroesi, llafarganu Gweddi'r Arglwydd, tywallt mwy o eiriau sanctaidd, plygu glin yn ddiolchgar unwaith yn rhagor ac yna cymryd eich lle yn y côr. Ar eu prynhawn cyntaf, wrth eistedd ar wal garreg isel yn pigo'r mwsogl o'r cilfachau dan siglo'u coesau'n synfyfyriol, a theimlo fel pysgod allan o ddŵr yn eu hamgylchfyd anghyfarwydd bu Gruffudd ac Owain yn trafod erchyllterau'r ysgol newydd. Sylwodd Owain o gornel ei lygaid fod un o'r bechgyn hŷn yn syllu arnynt. Roedd yn dal iawn gyda wyneb gwelw – arwydd nad oedd ei iechyd yn rhy dda. Roedd ei drwyn yn fain ac yn hir fel ei gorff hefyd.

'Dyw ef ddim yn edrych fel pe bai wedi gwenu rhyw lawer erioed,' meddai Owain wrth Gruffudd. 'Dwi'n meddwl ein bod ni mewn helynt, Gruff,' rhybuddiodd, ac yn siwr i chi, daeth y bachgen yr oeddent yn siarad amdano atynt, mewn ffordd herciog a rhyfedd, a atgoffai Owain o rywbeth ond ni allai yn ei fyw roi ei fys arno ar y pryd.

'Siarad Saesneg neu Ffrangeg oedd y ddau ohonoch chi rŵan, rwy'n cymryd?' meddai'n swta mewn Lladin. 'Dwi wedi bod yn eich gwylio.'

'Nage,' meddai Owain, gan sefyll ar ben y wal er

mwyn gallu edrych i'w lygaid, 'nid Saesneg, na Ffrangeg chwaith a dweud y gwir.'

Edrychodd y bachgen yn amheus arnynt. Roedd ei lygaid yn ddyfrllyd iawn ac yn las anghyffredin o olau. Yn wir, ni allai Owain ddeall sut y gallai weld dim gyda'r fath anhwylder. 'Mae rheol yn yr ysgol hon,' ychwanegodd. 'Dim ond Lladin yr ydym ni'n siarad, felly cymerwch ofal.'

Gwyliodd y ddau y bachgen yn cerdded ymaith yn hunanbwysig – os yw hwnnw'n derm addas i ddisgrifio llynghyryn mor fain. Yna, gan wenu ar ei gilydd, parhaodd y ddau i siarad yn eu mamiaith am y byd a'i bethau. Ond fel y dywedodd Gruff, roedd ganddynt rywbeth arall i siarad yn ei gylch yn awr.

'Beth yw'r Lladin am Jac y Baglau, Owain?' Edrychodd Owain ar Gruffudd yn llawn edmygedd. Ia, tebyg i Jac y Baglau oedd y bachgen, roedd Gruffudd wedi taro'r hoelen ar ei phen.

'Dw'n i ddim Gruff. *Daddy Long Legs* yw e'n Saesneg.'

Yna dywedodd wrth Gruffudd beth oedd wedi bod ar ei feddwl wrth i'r bachgen nesáu atynt a chwarddodd y ddau dros y lle.

Yn haerllug a direidus, winciodd Owain ar y bachgen hŷn oedd yn dal i syllu arnynt wrth bwyso'n erbyn drws adeilad ar draws y cwad, ond oherwydd yr anhwylder ar ei lygaid, mae'n bur debyg na sylwodd arno.

Y noson honno, roedd eu gwlâu wedi'u torri'n

ddarnau mân.

Fore trannoeth, roedd hi'n anhrefn llwyr yn yr ystafell wely wrth i'r bechgyn eraill chwilio'n wyllt am eu hesgidiau gan wybod bod y corrach eisoes yn prysur nesáu at eu hystafell. Arhosai Owain a Gruffudd, a'u hesgidiau am eu traed, yn dawel y tu allan, y ddau gyntaf ar ben y rhes.

Erbyn diwedd yr wythnos gyntaf honno, roedd trwyn Gruffudd wedi chwyddo ddwywaith cymaint â'i faint arferol, ac roedd gan Owain glais du-las ar ei foch, ond nid oedd hanner mor ddu â llygad Jac y Baglau, a oedd erbyn hyn yn cadw hyd braich ac yn dangos llawer mwy o ofal a pharch tuag atynt nag o'r blaen.

Yr Yswain Ieuanc

Parodd rhywbeth i Owain agor ei lygaid. Doedd y wawr heb dorri eto a chymerodd rai munudau iddo i ddod i arfer â'r cysgodion o'i gwmpas.

Edrychai'r ystafell yn anghyfarwydd iawn yn yr hanner gwyll. Gwelai siapiau'r bechgyn eraill yn cysgu o'i amgylch. Nid oedd neb yn stwyrian. Casglodd Owain ei ddillad at ei gilydd o droed y gwely a symudodd mor ddistaw â llygoden heibio'r gwlâu. Cyrhaeddodd y drws ac aeth drwyddo heb siw na miw. Wrth wisgo yn y golau egwan ar ben y grisiau, ceisiodd Owain feddwl beth yn y byd oedd wedi'i ddeffro. Roedd wedi cyrraedd y coed cyn cael ateb i hynny.

Gwelodd ddyn yn ei freuddwyd. Nid y marchog na'r rhyfelwr mawr yr arferai freuddwydio amdano, ac a geisiai ei orau glas i'w efelychu yn ei hyfforddiant fel yswain. Na, gŵr tal a main oedd hwn, mewn gŵn wregysog gyda'r plygiadau'n crogi'n drwm i'r llawr. Gwisgai fantell goch tywyll hefyd, gyda ffwr carlwm y tu mewn iddi a bwcl gemog crand yn ei chau. Doedd ganddo ddim penwisg, dim ond gwallt coch cyfoethog yn hongian yn rhydd ac yn hir dros ei ysgwyddau wrth iddo symud. Cerddai'r dyn ar hyd llwybr ar ben mynydd uchel, ac er gwaetha'r niwl a droellai'n gymylau o amgylch ei draed, roedd fel pe bai'n gwybod i ble'r oedd yn mynd. Yna, yn ddirybudd, dechreuodd y llwybr ddiflannu. Tarfodd hyn arno.

Ceisiai Owain gofio beth ddigwyddodd nesaf, ond yn ofer. Gan godi ei ysgwyddau, aeth yn ei flaen, a phenderfynodd na allai'r freuddwyd fod yn un bwysig iawn os nad oedd yn ei chofio.

Roedd y wawr ar dorri drwy'r canghennau wrth iddo nesáu at y tir agored yng nghanol y goedwig.

Arafodd camau Owain a throediodd yn ysgafn iawn. Wrth ymyl y tir agored, cyrcydodd yn ofalus y tu ôl i wreiddiau coeden fawr, gan godi dail dros ei gorff fel na fedrai neb ei weld. Yna arhosodd.

Roedd wedi bod yma ar doriad dydd o'r blaen, ac wedi bod yn ddigon ffodus i weld hydd anferth, gyda chyrniau â phum neu chwe dant arnynt. Rhwbiai'r cyrn yn erbyn canghennau'r coed, heb sylwi ar y gwyliwr tawel. Gobeithiai Owain mai hwn oedd ei lwybr arferol ac mai ef fyddai'r un i allu rhoi gwybod i'r gweddill am ei bresenoldeb, yn arbennig ei arglwydd, Richard Fitzalan, a wasanaethai fel yswain.

Roedd pwll bychan yng nghanol y tir agored wedi'i amgylchynu gan frwyn tal, ac roedd hwn yn demtasiwn gref i'r bwystfilod gwyllt a welid yn aml yn y coed. Cyn gynted ag yr oedd Owain wedi setlo yn ei le, clywodd sŵn a rhyw symudiad o gyfeiriad y pwll.

Gan wybod y byddai modd gweld yr hydd cyhyrog bellach os mai ef oedd yno, cododd Owain ei ben gan ddisgwyl gweld rhyw ysglyfaeth llai –

mochyn gwyllt efallai, neu wenci hyd yn oed. Wrth dynnu'r brwyn yn ei ôl i gael gweld yn well, cafodd Owain fraw. Yno ar y llawr gorweddai gŵr a gwraig – dau gariad yn ôl pob tebyg.

Adnabu'r wraig. Roedd yn un o'r criw oedd wedi cyrraedd yr wythnos honno gyda gosgordd yr Arglwydd Fitzalan. Roedd Owain wedi gweini diod iddi ac wedi rhyfeddu at ei harddwch, y gwallt golau, y croen gwelw a'r aeliau tywyll – popeth a garai yswain ieuanc mewn merch.

Ni fedrai weld y dyn cystal, ac nid oedd am symud gewyn rhag ofn iddynt ei weld. Gorweddent dan sibrwd a chwerthin ym mreichiau ei gilydd. Yna cododd y ddau, a chyn pen dim roedd y ferch wedi hedeg i ffwrdd fel rhyw bili-pala lliwgar ym mhelydrau cryf haul y bore a oedd bellach yn tywynnu drwy ganghennau'r coed.

Dychrynodd Owain wrth droi ei olygon yn ôl at y gŵr, oherwydd sylweddolodd o'i wisg mai mynach Sistersaidd ydoedd. Roedd wedi clywed am bethau o'r fath yn digwydd – hynny yw, am ddynion a oedd wedi tyngu llw i ymwrthod â merched yn ildio i demtasiynau'r cnawd – ond roedd eu gweld â'i lygaid ei hun yn stori wahanol.

Mae'n rhaid bod Owain wedi gwneud sŵn yn ei fraw, oherwydd trodd y mynach i edrych tua'i guddfan, ac fe'i gwelodd. Dechreuodd redeg tuag ato'n wyllt, ond yna newidiodd ei feddwl, a brysiodd i ffwrdd i gyfeiriad arall. Clywai Owain sŵn brigau a changhennau'n torri o dan ei draed ac fe'i gwelodd yn tynnu'n wyllt ar ei fantell a oedd wedi bachu ar y llwyni. Daeth bronfraith o'r llwyn, a hedfan i'w wyneb. Fe'i tarodd yn wyllt i'r llawr cyn diflannu i'r coed.

Yna roedd pob man yn dawel fel y bedd, a'r adar hyd yn oed wedi rhoi'r gorau i ganu.

Safai Owain fel delw, cymaint felly nes i ysgyfarnog fechan ddod yn union at ei draed cyn rhedeg i ffwrdd mewn panig wedi iddi sylwi arno. Ymlwybrodd yr hydd hefyd yn hamddenol braf i'r tir agored, cymerodd ddiod o'r pwll ac yna aeth yn ei flaen yn ddigynnwrf, yn union fel pe bai Owain yn rhan o'r goedwig.

Ond nid braw am fod y mynach wedi'i weld oedd yn peri i Owain sefyll fel delw yn awr – dillad gwynion y gŵr oedd wedi'i ddychryn, oherwydd roeddent wedi dod â gweddill ei freuddwyd i gof. Roedd yn y freuddwyd abad sanctaidd hen iawn, yn galw ar y dyn yn y niwl, yn ceisio'i rybuddio am rywbeth, ond ni allai Owain yn ei fyw ddeall geiriau'r abad nes iddo glywed ei enw ei hun. Sylweddolodd Owain mai ef oedd y dyn yn y freuddwyd. Yna, roedd y niwl wedi codi o amgylch ei goesau, ei fol a'i frest, i fyny dros ei wyneb ac i mewn i'w geg a'i drwyn gan lenwi'i ysgyfaint fel na allai prin anadlu. Ceisiai weiddi a galw ar yr abad, ond yn ei le yn awr safai bwystfil arswydus – draig wen, fyglyd wedi ffurfio o'r niwl a droellai, a'i llygaid llofrudd yn syllu arno. Roedd mantell goch Owain wedi troi'n fflamau poeth. Gwelai'r croen ar ei fysedd yn toddi i'r asgwrn wrth iddo geisio agor y fantell yn ei orffwylledd, a thrwy'r cyfan roedd y tân gwyllt yn fflamio ac yn llosgi gweddill ei gorff du.

Dyna beth a'i deffrodd.

Er gwaethaf y cynhesrwydd oedd yn y goedwig erbyn hyn, dechreuodd Owain grynu wrth godi ar ei draed. Lledodd croen gŵydd dros ei gorff, a chronnai chwys oer ar ei dalcen.

Tynnwyd ei sylw gan gri druenus, a gwelodd y fronfraith a drawyd gan y mynach yn gorwedd ar y llawr. Roedd yn ddiolchgar iddi am dynnu ei feddwl oddi ar ei freuddwyd ddychrynllyd. Plygodd i'w chodi. Roedd yn fyw, ond wedi ei dychryn. Hongiai un adain yn rhydd wrth ei hochr. Yn dyner, fe'i rhoddodd yn ei god a chychwynnodd yn ei ôl i gyfeiriad y castell.

Roedd y freuddwyd yn ei boeni ond wrth iddo gyrraedd y dolydd teimlai gynhesrwydd yr haul ar ei wyneb, a dechreuodd anghofio amdani. Cyrhaeddodd yn ôl mewn pryd i gyflawni ei ddyletswyddau wrth y bwrdd bwyd. Edrychodd o amgylch yr ystafell ond ni allai weld y wraig a oedd yn y goedwig yn unman.

Wrth i Owain gerdded i gyfeiriad y stablau gyda'i neges i'r prif heliwr ar ôl brecwast, daeth John Hanmer ato gan holi a wyddai am yr helfa oedd wedi'i threfnu ar gyfer y diwrnod canlynol. Roedd

Owain wedi clywed a dywedodd wrtho am yr hydd a welodd yn y coed.

'Rwyf ar fy ffordd i ddweud wrth y prif heliwr,' ychwanegodd. Cerddodd John gydag ef. Daethant at y stablau gan gamu o olau dydd i mewn i dywyllwch yr adeiladau. Dechreuodd y ddau gerdded rhwng y rhesi stolion a llenwai'r arogl melys eu ffroenau. Roedd pob ceffyl ond yr un yn y pen draw allan yn y cae am y diwrnod. Edrychodd y ddau'n chwilfrydig wrth glywed lleisiau, a chafodd Owain gryn fraw wrth weld y wraig a oedd yn y coed ym mhen draw'r stablau gyda gŵr ifanc ac un o weision y stablau fu'n rhoi sylw i gloffni ei merlen.

'Ond fydd hi'n iawn ar gyfer yr helfa?' fe'i clywai yn holi wrth iddo symud i'r naill ochr iddynt allu mynd heibio.

'Dydd da', meddai John wrthynt â gwrid ysgafn ar ei foch, a chiledrychodd y ferch arnynt am ennyd cyn gostwng ei hamrannau'n chwareus. Atebodd y gŵr ifanc ei gyfarchiad.

'Bydd, yn heini ddigon, foneddiges,' atebodd y gwas, gan aros wrth ochr Owain. 'Dim byd mwy na rhyw anesmwythyd – carreg yn ei phedol dyna'i gyd.'

Wedi i'r ddau fynd o'r golwg ym mhen pellaf yr iard, trodd y gwas at Owain ac meddai, 'Mae hi'n perthyn i Stad Mortimer.' Gwridodd Owain ar ei waethaf, a gobeithiai nad oedd y gwas wedi sylwi. Heb ymdroi ymhellach, aeth yn ei flaen i gario'i neges i ben ei thaith.

Drwy gydol y dydd, rhagorai Owain ym mhopeth a wnâi yng nghwmni'r ysweiniaid eraill. Ni theimlodd mor gryf ac ystwyth erioed. Taflai'r wayw ymhellach nag erioed o'r blaen a neidiai'n heini yn ei ddillad trymion yn union fel pe bai'n noethlymun groen. Roedd yno ddwy wal yn wynebu'i gilydd, ryw bedair neu bum troedfedd ar wahân. Gan bwyso'i ysgwyddau yn erbyn y naill a'i draed yn erbyn y llall, cododd ei hun i'r brig ac i lawr yn ôl mor gyflym nes bod John hyd yn oed yn genfigennus ohono.

Trwy gydol y dydd, cadwai Owain lygad am y wraig oedd yn y coed, gan obeithio gwneud argraff arni gyda'i gryfder a'i allu. Ond yn ofer. Safai llawer o ferched eraill ar ymyl y cae yn gwylio ac yn edmygu gorchestion y gwŷr ieuainc, ond doedd hi ddim yn eu plith. Gyda'r nos, wedi iddo newid i'w ddillad gorau, ymunodd â'i gyfeillion mewn cyfeddach a dawns, ond er iddynt ddal ati tan berfeddion, ni ddaeth hi i'r golwg o gwbl.

Cyn cychwyn i hela ar doriad dydd, eisteddai Owain ar wal ger y stablau yn trin adain y fronfraith glwyfedig. Ac yn sydyn roedd yn sefyll o'i flaen.

'Be sy'n bod ar yr aderyn druan?' holodd yn bryderus.

Roedd mor syml â hynny.

Cyn pen wythnos roeddent wedi dychwelyd yr aderyn yn iach a diogel i'r goedwig.

Gyda'i gilydd gorweddent ar y glaswellt a môr o glychau'r gog yn chwifio o'u cwmpas yn yr awel ysgafn – eu persawr yn llenwi'r awyr. Uwch eu pen gorffwysai'r fronfraith fechan ar y gangen, gan ymestyn ei hadain yn ofalus cyn mentro'n ddewr i'r awyr. Gwyliodd Owain hi'n hedfan i ffwrdd.

Roedd y ddaear oddi tano'n oer a llaith ond y cwmni wrth ei ochr yn hyfryd o gynnes.

Y Briodas

Roedd hi'n ddiwrnod bendigedig ar gyfer priodas. Roedd y blodau'n drwch hyd y cloddiau ac roedd y dolydd a'u lliwiau hyfryd yn garped gogoneddus. Yr adar yn trydar yn y coed a'r gwanwyn yn gôr o gân. Roedd pawb mewn hwyliau da, ac yn edrych ymlaen at ddyfodiad yr haf.

Wedi'r seremoni, wrth i Owain gerdded ar hyd glan yr afon gyda'i chwaer Lowri, daeth rhyw deimlad rhyfedd drosto yn gwbl ddirybudd. Roedd wedi teimlo fel hyn o'r blaen – fel pe bai rhyw ddieithrwch rhyfedd yn cydio yn ei feddwl a'i gorff, ac er na allai wneud synnwyr ohono, na'i ddeall chwaith, gwyddai yn ei isymwybod fod rhyw gysgod dyfnach, anesboniadwy yn llechu y tu mewn iddo.

Corddai ei stumog yn awr wrth iddo wylio cerrynt cryf yr afon yn gwibio heibio, a theimlai ryw dynfa i fynd yn nes ac yn nes at ddüwch y dŵr gwyllt. Penliniodd wrth ei glan a rhoddodd ei fysedd yn oerni'r dŵr i daflu diferion oer ar wres ei wyneb. Yna, gorweddodd yn ôl ar y glaswellt a syllodd ar y cymylau gwynion yn rasio ac yn newid ffurf uwch ei ben. Teimlai Owain yn rhan o'r holl frys. Caeodd ei lygaid yn dynn a gwasgodd y glaswellt oddi tano yn ei ddyrnau.

Pan agorodd ei lygaid, roedd yr awyr yn llonydd unwaith eto ac roedd Lowri'n syllu arno'n bryderus.

'Lowri fach dlos,' meddai, wrth edrych ar harddwch ei hwyneb. Roedd yr haul yn gwneud i'w llygaid tywyll cynnes befrio ac roedd tonnau melyn ei gwallt yn disgleirio. Rhyfeddai Owain at allu natur i newid geneth fach swil yn ferch ifanc mor brydferth mewn cyn lleied o amser.

'Paid ag edrych mor syn ar ddydd dy briodas.' Gwenodd Lowri a gwelodd Owain y gwrid ar ei bochau wrth iddi edrych i lawr arno. Doedd dim rhaid iddo ofyn iddi a oedd yn hapus.

'Yn hapusach nag a freuddwydiais erioed,' atebodd yn llawen. 'Beth amdanat ti Owain?'

Estynnodd Owain ei law i gydio mewn cudyn o'i gwallt prydferth a'i anwesu'n gariadus rhwng ei fysedd. Roedd wedi dod ato'i hun yn awr.

'Dwi'n hapus am dy fod di'n hapus,' atebodd.

Roedd y gŵr yr oedd Lowri newydd ei briodi yn ŵr anrhydeddus fyddai'n edrych ar ei hôl yn dda. Cofiai Owain pa mor falch yr oedd o sylwi ar y cariad a flagurai rhwng Lowri a Robert. Arian oedd sail llawer o briodasau, a chariad yn eilbeth, a droeon roedd Owain wedi sylwi ar wragedd anhapus yn ei lygadu i geisio ennyn ei sylw.

Cododd Owain ar ei draed wrth i Tudur ddynesu. Roedd ganddo gwmni, Robert, a oedd yn chwilio am ei wraig newydd, a'u cefnder Rhys Tudur. Edrychodd Owain yn syn ar Rhys. Nid oedd wedi gweld ei gefnder ers y cyfnod pan oedd Môn gyfan yn galaru am frodyr Rhys. Môn, yr ynys dywyll wedi torri'i chalon, a'r bonedd i gyd wedi'u gwisgo mewn du, a gwynt y môr yn sychu'r dagrau oddi ar eu gruddiau.

Ednyfed oedd y cyntaf i farw, ac yna, yn rhy fuan o lawer wedi un golled drist, daeth newyddion am foddi Gronwy mewn trobwll creulon ac estron oddi ar arfordir Lloegr. Gosododd y Cymry ei gorff ar elor a'i gludo adref i'w fam ynys i orffwys gyda'r brodyr yn Llanfaes. Doedd dim rhyfedd bod Rhys wedi newid cymaint gyda threigl y blynyddoedd, a bod Owain yn ei chael hi'n anodd i ganfod wyneb y bachgen yr arferai ei adnabod yn wyneb y gŵr a safai wrth ei ymyl yn awr yn llongyfarch y pâr priod newydd a chynnig ei fendith iddynt.

'Un mentrus', oedd geiriau ei fam am Rhys bob amser, a chyda phwl o hiraeth, cofiodd Owain am yr oriau dibryder a dreuliodd yn dilyn Rhys a Gwilym ar hyd y coed a'r dolydd, am Gronwy'n rhedeg ar ôl y morwynion llaeth gan dyngu eu bod wrth eu boddau ac am Ednyfed a fwynhâi grwydro ar ei ben ei hun yn y berllan.

Trodd Rhys a gwenodd ar Owain, a gwelwyd wyneb y bachgen unwaith eto yng nghynhesrwydd y wên a direidi'r llygaid glas wrth iddynt gofleidio.

'Mae'n edrych yn debyg i mi fod hwn am droi'n gyfarfod i ddynion,' meddai Lowri. 'Ond chewch chi mo 'ngŵr newydd i eto,' ychwanegodd yn chwareus. Cydiodd yn ei fraich ac i ffwrdd â'r ddau gan adael y tri arall i wneud fel y mynnent.

'Felly pa newydd, Owain?' holodd Rhys, er eu bod ill tri'n gwybod yn iawn pa newydd oedd ar gerdded hyd y wlad. Roedd Owain Lawgoch, a oedd yn berthynas i'r tri ohonynt, wedi datgan ers pedair blynedd mai ef oedd â'r hawl i fod yn dywysog Cymru, a dyna oedd ar wefusau pawb.

Roedd wedi arwain ei luoedd o Ffrainc ddwywaith i geisio hawlio'i dywysogaeth, a derbyniai gefnogaeth frwd brenin Ffrainc am wasanaethu fel capten ffyddlon iddo mewn sawl ymgyrch yn erbyn y Saeson.

Roedd yr awel yn cludo sibrydion ar draws y môr am gynllun newydd erbyn hyn.

Disgwyliai Cymru'n eiddgar, a theithiai'r beirdd selog o amgylch y wlad yn lledaenu'r newyddion diweddaraf ac yn ei liwio fel y mynnent, gan ddarogan buddugoliaeth i'r ddraig goch. 'Owain fu ac Owain fydd,' meddent. 'Bydd Owain yn dod â gwaredigaeth i Gymru.'

Ac felly roedd pob Cymro, o'r uchaf i'r isaf ei ddosbarth, yn eistedd yn arfog ac yn barod i wasanaethu'r Mab Darogan cyn gynted ag y deuai. Yn ôl y sibrydion, roedd Owain Lawgoch yn barod i ymosod ar y Saeson a eisteddai'n gyfoethog a balch yn ei wlad wrth roi gorchmynion i'w bobl. Ond y tro hwn, yn ôl yr hyn a ddywedid, deuai gyda llu o filwyr Franco-Castilaidd fyddai mor niferus nes byddai'r Saeson yn dychryn o'u gweld.

Sgwrs ryfedd mewn priodas efallai, ond y math o

sgwrs yr oedd Owain yn fwy na pharod i'w rhannu gyda'i frawd a'i gefnder. Yn frwd, aeth y sgwrs yn ei blaen gan ddyfalu am ddyfodiad Owain Lawgoch, y tactegau milwrol y byddai'n eu defnyddio, y grymoedd fyddai'n syrthio, a'r rhai fyddai'n codi.

Aeth peth amser heibio cyn iddynt ddychwelyd at weddill y gwahoddedigion a oedd erbyn hyn yn dawnsio'n llon i gyfeiliant eu lleisiau eu hunain, a'r briodferch a wisgai wisg wen laes a blodau piws ar ei phen, yn eu harwain.

Yna dechreuodd Llywelyn Caio, y telynor, redeg ei fysedd hirion hyd dannau'r delyn. Eisteddodd pawb ar y glaswellt, rhai yn barau agos, eraill mewn grwpiau o dri neu bedwar i wrando ar felystra hudolus ei gân.

Eisteddodd Owain yntau hefyd, gan orffwys yn erbyn carreg fawr, ei lygaid yn gwylio'r olygfa o'i flaen. Roedd rhan ohono'n gwrando ar y gerddoriaeth ac roedd rhan arall ohono'n breuddwydio am Owain Lawgoch, ac yn gobeithio o waelod calon y byddai'n llwyddo. Oherwydd pe bai ei berthynas yn llwyddiannus – na, nid *pe bai,* ond *pan* – byddai hwnnw'n ddiwrnod mawr iawn i Gymru, rhyddid i'r bobl a buddugoliaeth fawr i farwniaid Cymreig fel Owain ei hun, gan na fyddai'n rhaid iddynt blygu i gyfraith y Sais fyth eto.

'Os bydd Owain Lawgoch am gymorth fy nghleddyf,' meddai Owain wrth Tudur a Rhys, 'myn Duw mae'n barod iddo.'

'Minnau hefyd,' ategodd Tudur.

Estynnodd Rhys ei gleddyf a chydag un trawiad, torrodd gangen oddi ar y goeden gerllaw.

'Fe chwaraewn bêl-droed gyda'u pennau,' chwarddodd.

Cyn i'r telynor orffen, roedd Owain yn ei chael yn anodd i aros ar ei eistedd. Tynnwyd ei sylw gan rywbeth oedd yn digwydd led cae oddi wrtho. Gwelai ei gefnder, Hywel Sele, yn gwneud ei orau glas i ddwyn cusan gan Marged Hanmer. Ni allai Marged ddianc o'i afael gan ei bod rhyngddo ef a boncyff coeden.

Cyn gynted ag yr oedd y telynor wedi gorffen, roedd Owain wrth ei hochr.

Cyfarchodd ei gefnder yn gwrtais, gan holi am ei deulu.

'Digon da,' atebodd yn y ffordd ryfedd a siaradai, oherwydd un ras fawr oedd bywyd i Hywel ac roedd hyd yn oed ei eiriau'n cael eu brysio oddi ar ei dafod. Ni allai aros yn llonydd chwaith – chwaraeai'n ddi-baid gyda'i ben a'i ddwylo, a symudai ei draed yn aflonydd.

'Wyt ti wedi cael gormod i yfed fel nad oes gen ti ddim byd gwell i'w wneud na thynnu ar blentyn diniwed, gefnder?' holodd Owain.

Sychodd Hywel ei geg gyda'i lawes a gwenodd yn wirion ar Marged. Yna, gan chwerthin, cododd ei ysgwyddau a throdd a cherdded i ffwrdd cyn gynted ag y medrai.

Roedd Owain wedi disgwyl y byddai Marged yn ddiolchgar iddo, ond fe'i dychrynwyd gan ei hymateb.

'Nid plentyn ydw i Owain Glyndŵr,' poerodd, â'i llais yn crynu, 'dwi'n gallu edrych ar fy ôl fy hun yn iawn, diolch yn fawr.'

Brasgamodd i ffwrdd gan ddal ei phen yn uchel. Edrychodd Owain gan wenu'n fodlon wrth ei gwylio'n croesi'r cae, ei chorff yn siglo'n fwriadol o'r naill ochr i'r llall a'r gwallt melyn yn syrthio'n donnau disglair dros ei chluniau main.

Y Milwr

Roedd hi'n dywydd garw wrth i feirch Owain a Tudur faglu a llithro ar hyd y rhew a'r creigiau peryglus a oedd, ychydig fisoedd ynghynt, yn wely meddal o glai i nant fechan. Rhuai gwynt Ionawr yn fygythiol nes bod y dynion a'r meirch yn ei chael yn anodd i ennill tir yn ei erbyn.

Trodd Owain yn ei gyfrwy i weld ble'r oedd y gweddill. Roeddent gryn bellter y tu ôl iddynt, pawb ond y bachgen ifanc, Henry Percy – Hotspur i'r Albanwyr, oedd yn dynn wrth eu sodlau. Roedd Owain yn hynod falch pan welodd gipolwg o fwthyn bychan ar ei ben ei hun wrth droed y bryn, ryw hediad saeth o'u blaenau.

Cyrhaeddodd y tri y bwthyn ymhell cyn y gweddill. Tŷ bychan, isel o garreg ydoedd ac fe welid llawer o dai tebyg yn yr ardal. Codwyd y tŷ ar gyfer pobl is eu statws ac roedd yn rhaid i bob un o'r marchogion blygu eu pen i fynd i mewn i'r cyntaf o'r ddwy ystafell.

Roedd criw o ddefaid wedi ymgasglu yng nghornel bellaf yr ail ystafell. Tinciai'r pibonwy a grogai ar flaen eu gwlân wrth iddynt daro yn erbyn ei gilydd. Nid oedd to ar y bwthyn – tynnwyd y gwellt rhag i'r Albanwyr ei losgi i'r llawr. Ond eto, cynigiai rywfaint o gysgod, a rhoddai gyfle iddynt orffwyso am ychydig cyn dal ati.

Erbyn i Richard Tempest gyrraedd gyda'i griw o

ddynion, roeddent eisoes wedi cynnau tân bychan. Roedd yn ddigon i dynnu'r oerfel o'u hesgyrn ac i dwymo'r meddyglyn a gludai Tudur yn ei gyfrwy. Roedd rhyw lymaid bach o hwnnw'n gysur braf iddynt a phasiwyd y fflasg o amgylch y cylch yn yr ail ystafell. Roedd honno'n llawn erbyn hyn gan fod yno fwy o gysgod rhag y gwynt.

Ni cheisiodd y defaid ddianc oddi yno. Safent gan syllu'n ystyfnig ar y dynion â'r pibonwy ar eu gwlân yn dechrau diferu yn ngwres yr ystafell wrth iddi lenwi.

Nid oedd Hotspur yn rhy awyddus i gynnau tân ond roedd Owain a Tudur, fel y defaid hwythau, yn gwybod o'r gorau bod storm fawr ar y gorwel ac na fyddai'r un dyn byw, boed yn gyfaill neu yn elyn, yn debygol o weld blaen ei drwyn, heb sôn am fwg tân cyndyn pan ddechreuai'r eira syrthio. Drwy gydol y nos, eisteddodd y criw yn niogelwch y waliau cerrig tra rhuai'r storm o'u hamgylch. O dro i dro, pigai'r cenllysg eu dwylo a'u hwynebau i'w deffro o gwsg oer. Yn y bore, edrychai'r awyr yn ffres, a'r wlad noeth o'u hamgylch yn garped esmwyth gwyn, a ddisgleiriai'n sidanaidd yng ngolau'r haul.

Roedd eu meirch wedi dal y storm yn rhyfeddol o dda, gan gysgodi yn yr eithin yng nghefn y tŷ.

Clymodd Hotspur ysgubau o eithin a rhedyn crin wrth gynffon un o'r meirch hŷn a ddilynai'r gweddill yn ddirwgnach er mwyn cuddio'r llwybr ffres o olion pedolau a adawyd.

'Weithiau,' meddai wrth Owain, 'byddwn yn gosod pedolau'r meirch yn ôl ymlaen – d-d-dyfais dda i dwyllo'r gelyn.'

Gosodwyd Crach Ffinant, bardd a phroffwyd Owain, ar gefn un o'r meirch yng nghefn y rhes, ac yno'r eisteddai'n sur ei olwg nes iddo sylweddoli fod y rhai ar y blaen yn torri ias y gwynt cyn iddo'i gyrraedd ef.

Dychwelodd y criw i Ferwig yn flinedig, yn oer ac yn hynod siomedig. Y tro hwn nid oedd sôn am unrhyw olion o'r Albanwyr. Tra eisteddai Owain wrth y ffenestr gyda'r nos, yn syllu trwyddi ar fyd gwyn, dieithr, daeth Hotspur ato gyda newyddion am y criw arall a oedd wedi gadael y barics yr un pryd â hwy.

Nid ar dir y teithiai'r criw hwn. Yn hytrach hwylient ar draws y môr i Galloway yn y gobaith o ddod o hyd i'r Albanwyr, a thalu'n ôl am y cyrchoedd diweddar ar Gaerliwelydd ac am erlid mynachod Sant Cuthbert a drigai ar ynys sanctaidd Metgawdd.

'A m-m-myn d-d-Duw,' meddai, gydag atal dweud a oedd yn waeth na'r arfer wrth iddo gynhyrfu, 'byddent wedi taro arnynt o-o-ond bod rhyw ddynes w-w-wirion wedi goleuo ffagl, ia, ff-ff-ffagl.'

'Ff-ffagl?' holodd Tudur, gan fentro dynwared ffordd unigryw Hotspur o siarad. Roedd hyn wedi ei arwain i helynt sawl gwaith yn y gorffennol.

Er ei fod yn flin â'r newyddion am y cyrch aflwyddiannus, dechreuodd Hotspur chwerthin wrth weld wyneb Tudur wedi iddo sylweddoli beth roedd wedi'i wneud. Roedd yr Arglwydd Percy yn hen gyfarwydd â phobl yn dynwared ei ffordd o siarad, a gwyddai mai rhyw hoffter o dynnu coes yn fwy na malais oedd yn gyfrifol am hynny. Yn wir, roedd yn ffasiwn i siarad fel Percy yn y llys erbyn hyn.

'Fe weli ymhen amser, Henry,' meddai Owain, 'bod fy mrawd yn debycach i ful na pharot.'

Wedi i'r chwerthin dawelu, aeth Hotspur yn ei flaen i adrodd hanes y wraig gyda'r ffagl. Alice oedd ei henw ac roedd wedi byw ar y Gororau am flynyddoedd lawer – ers cyfnod y pla cyntaf yn ôl pob tebyg. Priododd hithau Sais a bu'n wraig dda iddo. Er ei bod mewn dipyn o oed, stryffaglai i ben y clogwyn uchaf bob hyn a hyn i gael edrych i lawr ar y tir a arferai fod yn gartref iddi, gan mai yn Galloway y cafodd ei geni a'i magu. Dychrynodd wrth weld milwyr arfog yn eiddgar lwytho meirch ac arfau i long ac fe gynheuodd ffagl, gan rybuddio'r Albanwyr o'r cyrch oedd ar droed.

'Mae hi yng Ngharchar p-p-Penrith yn awr,' ychwanegodd, 'yn aros ei thynged.'

Wrth wrando ar yr hanes, meddyliodd Owain am ei wraig ifanc ei hun, Marged, a oedd o waed Seisnig, oherwydd roedd Dafydd Hanmer hefyd o dras Seisnig, er bod ei hynafiaid wedi byw yng

Nghymru ers cenedlaethau a'r teulu oll wedi setlo yno yn awr ac yn rhugl yn yr iaith. Ni allai Owain ddychmygu Marged yn rhybuddio rhywun rhag y Cymry.

Eisteddodd yn synfyfyriol wrth y ffenestr am beth amser tra chrwydrai'r sgwrs o'r naill beth i'r llall. Roedd Crach Ffinant a daroganwyr Hotspur yn cynnal sgwrs breifat eu hunain mewn cornel, gan drafod rhyfeddodau amrywiol broffwydoliaethau.

'Dywed wrthyf,' gorchmynnodd Hotspur, wedi clustfeinio ar y sgwrs, 'ymhle fydda i f-f-farw, oherwydd wedyn gallaf osgoi'r ll-ll-lle a byw am byth.'

'Syniad rhagorol, Henry!' ebychodd Ralph ei frawd iau a oedd newydd ymuno â'r cwmni. 'Ond dywed un peth wrtha i frawd, os byddi fyw am byth, pryd ga i fod yn Iarll Northumberland?'

'Felly mae hi os nad wyt ti'n fab cyntafanedig, mae gen i ofn Ralph annwyl. Pam nad ei di'n esgob?'

Chwarddodd pawb – gwyddent yn iawn am hoffter Ralph o ferched.

'Dim peryg, Henry annwyl,' atebodd Ralph yn llawn hiwmor. 'Os rwyt ti am gael gwraig, yna mae'n iawn i minnau gael un hefyd.'

Chwarddodd pawb eto.

'Byddi farw ym Merwig.'

Torrodd y datganiad annisgwyl ar draws y rhialtwch fel cyllell finiog, a throdd pawb i edrych ar y daroganwr. Nid oedd gwên ar gyfyl ei wyneb.

'Ym Merwig, fy Arglwydd Henry, y byddi di farw.'

Ac ar hynny, moesymgrymodd cyn gadael yr ystafell yn ddigynnwrf, yn union fel pe bai newydd gynnig sylw ar y tywydd neu bris medd. Aeth Crach Ffinant ar ei ôl heb yngan gair.

Wedi iddynt fynd, ceisiodd Ralph wneud jôc o'r peth, a chynigiodd Hotspur rhyw sylw bachog. Ond roedd yr awyrgylch wedi newid bellach. Sylwodd Owain bod wyneb Hotspur yn welw iawn a bod y gwynt wedi mynd o'i hwyliau.

Ychydig ddyddiau'n ddiweddarach, roedd Owain a Tudur yn teithio mewn gosgordd fechan tuag Ynys Metgawdd. Nid oedd Hotspur gyda hwy y tro hwn am ei fod ef a'i dad ar fusnes gyda John Lewyn, y pensaer a oedd yn gweithio ar welliannau i'w heiddo.

Roedd pedwar mynach yn gweithio yn y priordy ar Ynys Metgawdd. Roeddent yn eithriadol o brysur, yn cadw llygad barcud am unrhyw Albanwyr a oedd yn gwneud unrhyw ddrwg ar y tir mawr gyferbyn, ac roeddent hyd yn oed wedi cyflogi gwyliwr i gadw gwyliadwriaeth ddydd a nos. Ond roedd pethau'n anodd o hyd. Yn y diwedd, anfonodd y mynachod neges at yr Arglwydd Percy i ofyn am gyngor am na wyddent beth i'w wneud nesaf.

A dweud y gwir, nid oedd y Benedictiaid yn rhy hoff o'r gwaith o warchod yr adeiladau, er bod yn rhaid i rywun ei wneud. Byddai wedi bod yn haws beth amser yn ôl oherwydd arferai dau glerc, naw gwas a thri bachgen fyw yn y priordy, yn ogystal â'r mynachod. Dim ond y nhw ill pedwar oedd yno bellach, heb gyfrif y gwyliwr a gyflogid.

Roedd Iarll Northumberland, tad Hotspur eisoes wedi rhoi pum punt ar hugain iddynt ac roedd wedi trefnu gosgordd i fynd â dau wn, ac arbenigwr ar sut i'w defnyddio, i ddysgu'r mynachod pryderus sut i saethu.

Credai Hotspur y byddai'r gynnau'n rhoi mwy o fraw iddynt. Serch hynny, dywedodd ei dad fod llawer o fynachod wedi marchogaeth yn ddewr i frwydr droeon, gan gysuro'u hunain bod Duw ar eu hochr hwy. Ond diogelwch eu baner sanctaidd, baner Sant Cuthbert, a'u poenai fwyaf gan fod hon hefyd am gael ei chludo i'r ynys dan warchodaeth yr un osgordd.

Gwyddid o'r gorau bod gan y faner hon bwerau arbennig, yn enwedig yn erbyn yr Albanwyr. Câi ei chludo gan fynach i frwydr, ei gosod yn uchel ar wialen â'i hymyl arian yn disgleirio yn y golau, a thrwy Ras Duw a bendith Sant Cuthbert, deuai adref yn fuddugoliaethus yn ddi-ffael.

Cydiai un o fynachod Durham yn y faner yn awr. Dyn bach tew, bochgoch, llawen mewn dillad duon ydoedd, ac fe barablai'n ddi-baid. Roedd Owain wedi cynnig gard i gludo'r faner, ond er gwaetha'i phwysau trwm a'r chwys a ddiferai oddi ar dalcen y mynach, nid oedd am ildio'i le i neb. Hyd yn oed yn ei gwsg, byddai'n cydio'n dynn ynddi, dan chwyrnu a pharablu i'w phlygion. Dim ond wedi iddo ddringo'n afrosgo o'r cwch bychan a'i cludodd ar draws y dŵr i Ynys Metgawdd, a theimlo'r tir sanctaidd dan ei sandalau, y gollyngodd ei afael yn y faner, a'i throsglwyddo i fynach dipyn hŷn nag ef ei hun.

Wrth edrych ar y priordy, atgoffwyd Owain o Abaty Glyn-y-Groes, a oedd nepell o'i gartref yng Nglyndyfrdwy. Ymwelodd droeon â'r abaty hwnnw er mwyn gweld beddau ei hynafiaid ac eistedd dan gysgod y coed ynn tal i wrando'n astud ar eiriau'r bardd Iolo Goch yn adrodd straeon rhyfeddol am y gorffennol a chynnig proffwydoliaethau ar gyfer y dyfodol.

Cofiodd wedyn am y noson arbennig honno, pan oedd Marged ac yntau wrth yr abaty. Roedd y ddau wedi addo caru ei gilydd hyd byth. Ac yn sydyn, yn fwy nag unrhyw beth arall yn y byd, dyheai Owain am fod yn ei breichiau ac arogli'r lafant hyfryd yn ei gwallt.

'Mae'n rhaid i ni fynd, Owain.'

Torrwyd ar draws ei feddyliau, ac ochneidiodd Owain wrth gerdded ar draws y traeth i'r cwch. Byddai'n rhaid i Marged fod hebddo am ychydig eto a byddai'n rhaid iddo yntau ffrwyno'i angerdd.

Yn ystod yr haf, gwelodd Owain lawer o frwydro wrth i'r cyrchoedd amlhau. Ni chlywyd mwy o sôn am ferched yn cynnau ffaglau, nac am y wraig o

Gaerliwelydd a drodd yr Albanwyr rhyfelgar yn eu holau drwy ddweud wrthynt fod byddin y brenin gerllaw.

'Gwrandewch ar fy ngeiriau,' gwaeddodd, gan sefyll yn ddewr o'u blaenau a'i breichiau ymhlyg. 'Bydd y Brenin Richard a'i fyddin fawr yma mewn dim o dro,' a throdd yr Albanwyr am adref. Dywed rhai mai'r Forwyn Fair Fendigaid oedd y wraig hon a ddaeth i'w cynorthwyo yn ystod eu hawr wannaf.

Erbyn hyn, roedd y brwydro'n ffyrnig, ac yn symud yn ôl a blaen ar draws y ffin. Byddai'n rhaid i Owain yntau, a eisteddai'n falch ar gefn ei farch cyhyrog, Llwyd y Bacsie, yn ei helmed wen â phlu cochion aderyn o'r Aifft arni, ymladd llawer brwydr waedlyd cyn y gallai hyd yn oed feddwl am ddychwelyd gartref.

Y Bont

Gwnaeth Owain enw da iddo'i hun fel milwr. Flwyddyn wedi brwydr Berwig, gwasanaethodd ym myddin y Brenin Richard gan frwydro yn yr Alban, ac ymhen blwyddyn arall, bu'n ymladd brwydr ar y môr dan arweiniad Syr Richard Fitzalan, Iarll Arundel. Hyfforddwyd Owain gan Syr Richard i fod yn was, ac yna'n yswain, ynghyd ag amryw o bethau eraill hefyd.

Ysgydwodd Owain ei ben a gwenodd wrth feddwl am yr anturiaethau a gafodd tra'r oedd yn iau, ac yn amhrofiadol iawn. Nid oedd bellach yn ifanc, nac yn amhrofiadol chwaith, a gwyddai fod Richard Fitzalan yn ymwybodol iawn o hynny. Erbyn hyn, roedd enw Owain ymhlith ei ysweiniaid mwyaf blaenllaw a dewr. Faint mwy fyddai'n rhaid iddo ddisgwyl, cyn iddo gael ei urddo'n Farchog, meddyliodd.

Bu Richard Fitzalan yn dda iawn wrth deulu Owain byth ers marwolaeth ei dad, Gruffudd Fychan. Benthycodd arian iddynt, a chynorthwyodd ei fam pan oedd fwyaf angen hynny, gan gymryd diddordeb brwd ym magwraeth y plant. Roedd Owain yn ddyledus iawn iddo, ac oherwydd hynny yr eisteddai ar ei farch ar y bore milain hwn o Ragfyr wrth ochr yr Iarll, yn marchogaeth hyd glannau'r afon Isis tua'r fan lle mae'n cwrdd â'r Tafwys. Roedd cannoedd o filwyr eraill yn eu dilyn.

Troellai niwl rhewllyd o'u hamgylch, a suddai ei frath yn filain i'r asgwrn.

Ceisiai Owain feddwl sut yn y byd y byddai'r ymgyrch hon yn dod i ben. Y tro hwn, roedd yr Iarll y bu mor ffyddlon iddo yn eu harwain i wrthryfel o fath gwahanol – gwrthryfel na allai neb fod yn sicr o'i ddiwedd, ac a fyddai'n siwr o gael effaith ar ddyfodol pob copa walltog yn y fyddin honno. Roedd Richard Fitzalan wedi herio cyfaill i'r brenin yn gwbl agored. Cyfaill agos iawn yn ôl pob sôn, gŵr ifanc, golygus a dderbyniai lu o anrhegion brenhinol.

Wrth i amser fynd rhagddo, teimlai llawer fod pen Richard yn mynd braidd yn rhy fawr i'w goron frenhinol ac roeddent yn sylweddoli bod rhai o'i ffrindiau'n manteisio ar ei gyfeillgarwch er mwyn derbyn anrhegion.

Roedd Dug newydd Caerloyw, Thomas o Woodstock, ewyrth ieuengaf y Brenin Richard â'i lach ar ymddygiad y brenin hefyd. Mae'n rhaid dweud nad oedd Thomas yn meddu ar unrhyw rinweddau anghyffredin – yn wir, perthynai iddo wendidau mawr, a'r pennaf o'r rheiny, mewn gwirionedd, oedd ei ddiffyg parch at ei nai, y brenin.

Roedd Thomas yn casáu llys ei nai a'r ffaith fod gan y brenin gymaint o ffefrynnau, megis Robert de Vere, Iarll Rhydychen, Ustus Gogledd Cymru a Dug newydd Iwerddon. Clywsai sïon yn y llys fod y ddau'n fwy na ffrindiau, a chadwai lygad barcud ar eu symudiadau.

Yn ymwybodol o'r perygl, dihangodd de Vere tua'r gogledd; yng Nghaer, cododd fyddin yn gefn iddo, cyn ceisio dychwelyd i Lundain ac at ei frenin.

Nid oedd wedi teithio ymhell cyn clywed bod y pum arglwydd a'i gwrthwynebai ynghyd â miloedd o'u dynion wedi cau ei lwybr yn Northampton. Newidiodd ei gyfeiriad yn gyflym, ond felly hefyd Henry Bolingbroke, un o'r arglwyddi eraill, Iarll ieuanc Derby a mab John o Gaunt. Aeth Bolingbroke ar wib i ddinistrio Pont Radcot oedd ar lannau afon Tafwys a gosododd ddynion a saethwyr i gadw llygad am ddyfodiad de Vere. Aeth yr arglwyddi eraill yn eu blaenau i gau trefi'r Cotswold rhag i de Vere allu mynd trwy'r rheiny, cyn mynd yn eu blaenau i Bont Radcot.

Buan iawn y daeth de Vere ar ras wyllt ar gefn ei farch, ond cafodd fraw o weld ei lwybr i ryddid wedi'i gau gan yr arglwyddi. Bu'n rhaid iddo aros a brwydro. Cyn gynted ag y gwelodd bod lluoedd eraill wrth gefn ar gyrraedd, penderfynodd ddianc a gadael ei fyddin i frwydro. Gorfododd ei farch i nofio drwy ddŵr rhynllyd yr afon i'r ochr draw, a dihangodd i ddiogelwch llys y brenin yn Windsor.

Buan iawn y trechwyd ei fyddin gan luoedd y pum arglwydd ac yn fuddugoliaethus, gadawsant safle'r frwydr a dychwelyd i Lundain gan wybod bod de Vere wedi dysgu gwers gwbl haeddiannol.

'Dyna ddiwedd arno ef gobeithio.'

Trodd Owain a gwelodd Richard Fitzalan yn edrych yn hapusach nag a welsai ers tro. Wrth i'r arglwyddi a'u byddinoedd orymdeithio drwy strydoedd Rhydychen, edrychodd Owain o'r cefn ar y tyrfaoedd ar y naill ochr iddynt a waeddai fonllefau o gymeradwyaeth. Roedd pobl i'w gweld ym mhob man – yn y drysau, ar y toeau ac yn gwyro drwy'r ffenestri. Tynnwyd ei sylw gan ddyn tua'r un oed ag ef ei hun, a oedd, yn ôl pob golwg, wedi brysio i'r ffenestr oddi wrth y gwaith ar ei ddesg, gan ei fod yn dal i gydio yn ei bluen ac roedd yr inc yn staenio'i fysedd. Nid y bluen na'r bysedd a dynnodd sylw Owain, ond y modd y syllai'r dyn yn hir arno ef, a'r brwdfrydedd yn ei lygaid tywyll.

Myfyriwr o Gymru yn astudio'r gyfraith yn Rhydychen oedd Adam o Frynbuga. Plygodd ei ben yn wylaidd wrth ddal llygad Owain ond gwyliai'n frwd wedyn nes i siâp Owain droi'n ddim ond brycheuyn bach sgarlad yn y pellter. Yna, caeodd y ffenestr rhag oerni deifiol mis Rhagfyr, a dychwelodd at ei ddesg gan synfyfyrio'n ddwfn am funudau lawer cyn parhau i ysgrifennu.

Y Darogan

Gwyddai Owain y deuent.

Rhywle ym mêr ei esgyrn, ers cyn cof, roedd wedi gobeithio'n dawel am hyn. Roedd yn hen gyfarwydd bellach â'r teimlad a gâi o dro i dro – y teimlad hwnnw a oedd yn troi ei stumog ac yn mygu'i anadl.

Tra oedd yn fachgen, byddai'r teimlad hwn yn ei ddychryn weithiau nes gwneud iddo guddio, fel rhyw lwynog yn cael ei erlid, yng nghynhesrwydd stablau ei dad neu ym mhen pellaf un o'r ogofâu tywyll ar gopa'r mynydd.

Waeth i ble yr âi, waeth ble y ceisiai guddio, ni allai gael gwared ar y teimlad. Nid y tu mewn iddo'n unig yr oedd, ond o'i amgylch ym mhob man, fel y niwl trwchus a amgylchynai bellteroedd Moel Ffernau.

Nid oedd y teimlad yn ei ddychryn bob tro. Weithiau byddai'n ei gyffroi drwyddo nes gwneud iddo fod eisiau sgrechian neu ddawnsio, chwerthin neu redeg, i gyd ar yr un pryd. Gwnaeth hynny unwaith. Rhedodd yn droednoeth hyd fwsogl meddal y mynydd â'i wyneb yn goch yn y gwynt. Cododd ei olygon tua'r awyr ac yno, uwch ei ben, sylwodd Owain ar symudiad yn y nefoedd, a gwaeddodd nerth esgyrn ei ben ar yr eryr a gylchai fry. Chwarddodd yn uchel wrth i'r eryr blymio tuag ato a chanodd ar uchaf ei lais, oherwydd roedd rhyw orfoledd mawr y tu mewn iddo. Roedd rhyw undod anesboniadwy'n perthyn i'r achlysur – y mynydd, yr eryr, yr awyr, ac ef ei hun, Owain Glyndŵr, mab Gruffudd Fychan, a'r ddaear ar wib dan ei draed.

Yna, yn sydyn, ymddangosodd ffurf tal Iolo Goch y bardd gwalltgoch, o'i flaen mewn clogyn gwyrdd tywyll o'r un lliw â mwsogl copa'r mynydd. Eisteddai ar gefn hen gob du, ac er gwaetha'r bol tew, cyrhaeddai ei goesau hirion bron at y llawr.

Syllai Iolo'n ddwys i fyw llygaid Owain. Rhoddodd Owain y gorau i'w wiriondeb ar unwaith, ond y cyfan a wnaeth y bardd oedd amneidio i'w gyfarch, a heb yngan gair, aeth yn ei flaen. Yr unig sŵn a glywid oedd anadl llafurus y cob wrth iddo gwyno'n nerfus am agosrwydd yr eryr a oedd yn hofran uwch ei ben.

Mae'n rhaid bod hynny bron i ddeugain mlynedd yn ôl – cyn marw ei dad, pan oedd yr hafau i gyd yn hirfelyn, ei fam yn ifanc a thlos, Tudur yn gymar drwg i chwarae ag ef, a Lowri dlos ond yn fabi bach.

Ysgydwodd Owain ei ben yn drist. Edrychai ei wallt tonnog a gyrhaeddai ei ysgwyddau fel fflamau copr ym mhelydrau cyntaf haul y bore. Ymddangosai'r cyfnod hapus hwnnw a oedd mor bell yn ôl, fel byd gwahanol bron.

Wrth iddo dyfu'n hŷn, atgoffodd Iolo ef ar sawl achlysur nad oedd amser yn cyfrif dim yn ras y Cymry; boed ddeugain mlynedd, canrif, mil o flynyddoedd neu hyd yn oed fwy.

Roeddent wedi eistedd droeon dan gysgod y

goeden dal yng Nglyndyfrdwy, gan sgwrsio nes i'r haul fachlud yn yr awyr ac i'r lleuad gymryd ei lle yn y ffurfafen.

'Gwranda di ar fy ngeiriau i, Owain,' meddai Iolo. 'Bydd yr haul aur a'r lleuad arian yn chwarae ddydd a nos gyda'i gilydd hyd byth a chyn sicred â hynny hefyd, Owain ap Gruffudd Fychan, bydd tras Hiriell, Cynan, Cadwaladr ac Arthur yn parhau, oherwydd mae ein dechrau ni mor bell yn ôl yn nhywyllwch yr oesoedd nes ei fod yn ymddangos fel pe na bai dechrau. Mae ein proffwydoliaeth yn addo mab ar gyfer y dyfodol – mab fydd yn tywys ein hil oddi wrth greulondeb a chleddyfau gwaedlyd y Sacsoniaid, ac yn yr arweiniad hwnnw, ni fydd diwedd, dim ond dechrau arall.'

Gwelai Owain oddi wrth lygaid Iolo ei fod yn meddwl am ei dad, Ithel Goch, a'r tir ffrwythlon a ddygwyd gan y Saeson – y tir a ddylai fod yn etifeddiaeth iddo ef. Roedd Cymru angen gwaredwr. Cofiodd Owain am yr amser, ryw ugain mlynedd ynghynt pryd y credid mai un o'i deulu ef oedd y Mab Darogan. Owain Lawgoch oedd ei enw.

'Fy ngwlad i yw Cymru,' oedd llef ffyrnig yr Owain hwnnw gan ddychryn y Saeson. O'r diwedd, roeddent wedi dechrau ofni dydd y dial am ddwyn eiddo nad oedd yn perthyn iddynt, ac wedi dechrau credu'r sibrydion bod y Cymry'n anfodlon â hwy, ac yn eu casáu yn eu calonnau. Ond pa ots gan arglwyddi a meistri Lloegr am galonnau'r Cymry? Y

Ffrancwyr oedd yn eu dychryn hwy. Mewn gwirionedd, roeddent yn fwy ofnus o fawredd Ffrainc na hawliau tywysogion Cymru.

Llofruddiwyd Owain Lawgoch gan y Saeson a chredent fod hynny'n ddiwedd ar y bygythiad. Chwarddodd Owain Glyndŵr ar ben eu ffwlbri.

Roedd Iolo yn llygad ei le.

Roedd yn llygad ei le ers peth amser.

Ond y broffwydoliaeth – y darogan – oedd y bygythiad mwyaf, gan mai ynddi hi roedd arweinydd wedi'i addo.

A bellach, drwy ras Duw, roedd hi'n 1400.

Dywedai llawer mai yn y flwyddyn hon y deuai diwedd y byd a chymerodd lawer eu bywydau eu hunain oherwydd eu bod yn ofni'r hyn oedd i ddod. Ond ni ddaeth y diwedd.

Serch hynny, roedd cyfran helaeth o'r flwyddyn ar ôl. Gwenodd Owain. A oedd yn dechrau troi'n negyddol wrth iddo heneiddio? Roedd dros ei ddeugain – yn ddigon hen i droi'n hen ddyn chwerw.

Ond nid heddiw. Doedd heddiw ddim yn ddiwrnod i chwerwder.

'Maen nhw'n dod.'

Clywodd lais cynhyrfus ei fab hynaf Gruffudd, yn torri ar draws ei feddyliau.

Trodd Owain i edrych arno.

Roedd yn filwr ifanc a dewr, ac yn dalsyth fel ei dad. Teimlai Owain yn falch iawn ohono.

'Dwi'n barod,' atebodd.

Tywysog Cymru

Roedd yn barod.

Owain a'i waed o linach Arglwydd Rhys, rheolwr y Deheubarth.

Owain, o linach Bleddyn, mab Cynfyn, o diriogaeth Powys.

Owain, o'r un teulu â thywysogion mawr Gwynedd.

Roedd Owain, â gwaed tair llinach hynafol yn rhedeg drwy'i wythiennau, yn ei gorff, ei galon, a'i enaid, yn barod. Myn Duw! roedd yn barod.

Drwy gydol ei oes, bu'n gweddïo am y foment hon, yn aros yn amyneddgar yn y cysgodion am gael ei alw. Er hynny, am eiliad, teimlai'r panig cyfarwydd a ddeuai drosto yn achlysurol pan oedd yn blentyn.

Ond y tro hwn roedd yn ddyn. Nid plentyn ydoedd mwyach. Roedd y plentyn ynddo wedi hen fynd – y plentyn diniwed hwnnw a arferai wrando'n astud ar straeon rhyfeddol y beirdd am dywysogion Cymru'n cysgu mewn ogofeydd tywyll, yn disgwyl am gael eu galw, ac yn aros am gael eu deffro.

Chwarddodd Owain gan daflu ei wallt yn ôl. Roedd wedi cyffroi drwyddo oherwydd bellach gwyddai beth oedd y dieithrwch rhyfedd y tu mewn iddo.

Gwyddai'n iawn bellach pwy oedd Owain Glyndŵr.

Ef oedd y Mab Darogan.

Y broffwydoliaeth oedd y teimlad hwn a fu y tu mewn iddo ers blynyddoedd lawer, yn cynhyrfu ei ymysgaroedd ac yn ei ddeffro ef, Owain Glyndŵr, i achub tir ei dadau rhag creulondeb a chleddyfau gwaedlyd y Sacsoniaid.

'Owain fu ac Owain fydd,' meddai'r broffwydoliaeth. Owain fydd yn waredwr i Gymru.

Nid Owain Lawgoch y tro hwn, ond Owain Glyndŵr. Trueni na chafodd Iolo Goch fyw i weld y foment hon.

'Maen nhw'n aros amdanat, Owain.'

Nid Gruffudd y tro hwn, a'i lygaid yn dawnsio gan gyffro, ond gŵr arall, tal a main eto, â'r un angerdd ag Owain yn ei lygaid. Gallai fod yn efaill i Owain oni bai am y ddafad oedd o dan ei lygad chwith.

Ar unwaith camodd Owain ymlaen i gofleidio'i frawd. Cydiodd Tudur yn dynn amdano yntau. Roedd fel pe bai popeth wedi aros yn ei unfan am rai eiliadau, a dim i'w glywed ond sibrydion melancolaidd y coed yn eu rhybuddio am farwoldeb yr ennyd. Teimlai Owain ryw ysfa anesboniadwy i gydio'n dynn yn ei frawd a pheidio byth â gollwng gafael.

Daeth sgrech annaearol o'r coed y tu ôl iddynt. Sgrech paun, sŵn rhyfedd ar awr mor fore, ac aeth at galon Owain.

Dan ochneidio, gollyngodd ei afael yn Tudur. Yn

ddifrifol ei drem, trodd at y fan lle'r oeddent i gyd yn aros amdano. Ef oedd y Mab Darogan; ar gyfer hyn y cafodd ei eni.

Y Cynhaeaf

Mae'r adeg o'r flwyddyn pryd gwelir coed yn drwm gan aeron a chaeau'n llawn gwenith yn gyfnod pleserus bob amser, ond yna ceir tywydd mwy gerwin a'r dail yn syrthio, y ddaear yn troi'n llwm a phopeth a arferai fod mor ffrwythlon ac aeddfed yn pydru. Ac felly bydd y flwyddyn yn mynd heibio, yn union fel pob blwyddyn arall.

Bu Owain yn dyst i sawl cynhaeaf, rhai da yn ogystal â rhai ofnadwy o wael.

Roedd hwn yn gynhaeaf toreithiog, ffrwythlon. Dawnsiai ei gaeau'n donnau llawn a braf, a chrogai canghennau'r coed yn drymlwythog.

Roedd ei felin yn llawn prysurdeb, a'i wartheg yn dew a bodlon. Roedd hyd yn oed y gwyddau a'r ieir i'w gweld yn ceisio ymlid y defaid er mwyn dwyn y grawn a gollwyd o blith y tocion yn y caeau. Roeddent wedi cynaeafu'n gynnar eleni er mwyn paratoi ar gyfer dyfodiad Gŵyl Fihangel, a thrallod y tymor i ddod.

Wrth edrych i lawr oddi ar y bryncyn uchel, edrychai Owain ar ei gartref gwych yng Nglyndyfrdwy a swatiai'n ddiogel wrth droed y mynydd hynafol. Ymgasglodd ei deulu a'i ffrindiau yno ddoe ar gyfer y seremoni hirddisgwyliedig.

Gwenodd Owain wrth feddwl am Gruffudd, ei fab hynaf – teimlai'n llawn balchder a chyffro. Cadwodd Tudur drefn ar y cyfan yn ei ffordd dawel a threfnus ei hun. Peryglodd Gruffudd a Philip Hanmer, brodyr ei wraig, bopeth i fod yn bresennol ac felly hefyd Robert, priod Lowri. Roedd Hywel Cyffin, Deon Llanelwy, yno hefyd, ac roedd wedi dod â dau nai iddo yn arwydd o'i ffyddlondeb. Ymhlith y dorf hefyd roedd Crach Ffinant, y bardd a'r proffwyd, yn uchel ei gloch ac yn hynod falch fod ei broffwydoliaeth wedi'i gwireddu.

Cyn gynted ag y daeth y seremoni i ben, brysiodd Gruffudd allan i godi baner Owain. Ar y bore braf hwn, gwelai Owain fod yr awel ysgafn yn codi draig goch hynafol Cymru'n falch a chlir i bawb ei gweld ar y cefndir o sidan gwyn.

Cychwynnodd ychydig cyn iddi oleuo, ond bellach, roedd y wawr ar dorri, ac oddi tano, gwelai rai o'i weithwyr yn dechrau ar dasgau'r dydd.

Bob hyn a hyn, codent eu pennau i syllu ar y ddraig.

Oddi tano hefyd, yn llithro ac yn nadreddu'n araf drwy'r cwm, roedd afon Dyfrdwy. Afon ddu, droellog a ddiflannai yn awr ac yn y man yn nharth y bore bach.

Sylwodd Owain ar ddau fachgen ifanc yn rhedeg ras ar hyd y caeau. Neidient dros y cloddiau a'r ffensys â'u chwerthin dibryder yn diasbedain drwy'r cwm. Gwyliodd Owain hwy am rai munudau a meddyliodd am ei feibion ei hun.

Aethpwyd â'r rhai ieuengaf at eu mam i fod yn ddiogel yn Sycharth, ei hoff stad, a oedd ryw saith neu wyth milltir i'r de-ddwyrain yn ôl hediad brân.

Rhoddodd Marged blant cryfion, da iddo. Roedd rhai o'i ferched eisoes wedi priodi i deuluoedd parchus – roedd Catrin ac Alys, y ddwy ieuengaf, yn rhy ifanc i briodi ar hyn o bryd, ond yn prysur droi'n ferched ieuainc, golygus. Chwaraeodd Owain â'i farf a gwenodd wrth feddwl am eiriau Iolo am ei blant, 'nythaid teg o benaethau'. Roedd hynny mor wir – roeddent yn blant rhagorol.

Ceryddodd ei hun am freuddwydio. Doedd hynny ddim yn rhan o'i natur. Gwnaeth arwydd y groes yn frysiog ar ei fynwes a sibrydodd air o weddi dros ei feibion a'i ferched cyn ailgychwyn ar ei daith. Roedd meddwl am yr hen fardd wedi'i atgoffa o'i fwriad yn codi mor blygeiniol ac aeth yn ei flaen tua'r coed.

Glyn-y-Groes

Amser maith yn ôl, cododd brenin Powys gofeb yng Nglyn-y-Groes i anrhydeddu Elise, a oedd wedi achub y dyffryn rhag cael ei gipio gan y Saeson. Yno, ganrifoedd yn ddiweddarach y rhoddodd un o hendeidiau Owain Glyndŵr dir i'r myneich gwyn i godi abaty newydd arno.

Galwyd yr abaty hwn yn Abaty Glyn-y-Groes.

Erbyn i Owain gyrraedd yno, roedd niwl y bore wedi codi ac roedd y cwm, a'i borfeydd gleision ar y naill ochr, yn edrych yn ffres ac yn ir. Ymdroellai nant fechan, fyrlymus ar ei thaith i'r Ddyfrdwy.

Safai'r abaty yn adeilad gwych a chain ag arno do crefftus yng nghanol y cwm.

Llewyrchai'r waliau gwyngalchog yn haul y bore i greu noddfa landeg a phur, a disgleiriai glas a choch dwfn y ffenestri lliw fel gemau cyfoethog.

Roedd y gweddïau boreol wedi'u llafarganu ers meitin yn y tywyllwch, ac amser gwasanaeth yr offeren yn prysur nesáu.

Ychydig iawn o amser oedd gan Owain, ac felly brysiodd yn ei flaen. Talu teyrnged i'r hen fardd, Iolo Goch, oedd un o'r rhesymau dros ei ymweliad. Bu farw Iolo yr haf hwnnw ac roedd chwith mawr ar ei ôl. Fe'i claddwyd yn yr abaty, ond ni cheisiodd Owain fynd i mewn i'r adeilad. Yn hytrach, aeth heibio iddo i'r tir agored yn y canol lle safai clwstwr o goed tal – hoff gyrchfan Iolo. Yno gallai weld y pwll pysgod a gwrando ar drydar tlws yr adar.

Treuliodd Owain rai munudau yno'n gweddïo dros Iolo Goch cyn mynd ymlaen at feddau ei deulu.

Dyna oedd prif fyrdwn ei ymweliad â'r abaty.

Tra gorweddai'n effro gydol y nos gyda Marged yn cysgu'n anesmwyth wrth ei ochr, ei gwallt llaes yn llenwi'r ystafell ag arogl lafant, roedd rhywbeth wedi dweud wrtho, dan sibrwd i ddechrau, ac yna gyda mwy o frys, fod raid iddo anrhydeddu'r cof am ei gyndadau a rhoi gwybod iddynt am hynny.

Oherwydd ni fyddai Owain fyth eto'n farwn anfoddog, wedi'i ddarostwng o'i safle anrhydeddus a'i orfodi i ildio i gyfraith y Sais.

O hyn ymlaen, a hyd byth, Owain Glyndŵr, Tywysog Cymru fyddai ef, wedi'i ddewis yn rhydd gan ei bobl, a'i goroni'n urddasol yn ei gartref yng Nglyndyfrdwy. Gan ffarwelio â'r Abaty, brysiodd Owain yn ôl ar hyd hen lwybrau cyfarwydd y mynydd. Clywodd rywun yn galw arno yn y pellter a chan droi, gwelodd hen abad yn dod tuag ato. Roedd yr hen ŵr yn gweiddi rhywbeth, ond bu'n rhaid iddo ddod yn llawer nes at Owain cyn y gallai ddeall ei eiriau.

'. . . yn gynnar. Dweud yr oeddwn i, ydach chi ddim wedi codi'n rhy gynnar er eich lles heddiw?'

Ni allai Owain ddweud fawr ddim, oherwydd poenai am rywbeth na fedrai ei ddeall. Yna, sylwodd mewn braw ar y niwl a oedd yn dechrau ffurfio o amgylch ei draed.

Er gwaethaf cynhesrwydd yr haul, oedd yn prysur dorri drwy'r cymylau erbyn hyn, teimlodd Owain ryw gryndod yn dod drosto, a dechreuodd diferion o chwys grynhoi ar ei dalcen.

Y Bluen Goch

Dim ond chwarae cuddio oeddent i ddechrau.

Cawsai Tomos, Siôn a Meredydd hwyl garw yn chwarae yn y berllan ac yna daeth Madog a Dafydd atynt i edliw y pleser a gaent o gymryd rhan mewn gêm mor blentynnaidd. Fel brawd mawr, penderfynodd Madog bod angen gwneud y chwarae'n fwy diddorol.

Wrth chwilio'r stablau, daeth o hyd i hen gleddyfau, gwaywffyn a bwyelli rhydlyd a ddefnyddid ar gyfer ymarfer yn yr haf.

'Bydd y gêm yma'n dipyn mwy cyffrous ac yn llawer mwy addas i feibion rhyfelwr mawr, urddasol,' meddai wrthynt dan wenu.

Rhy gyffrous fel y digwyddodd pethau. Oherwydd yng ngwres y frwydr, a heb fod yn ymwybodol o'i gryfder ei hun, trawodd Madog ei frawd Meredydd mor arw nes iddo ei daflu i'r llawr. Glaniodd yn bensyfrdan ar y glaswellt islaw'r goeden fawr gan wneud ei orau glas i gadw'r dagrau'n ôl. Taflodd Madog ei gleddyf a rhedodd at ei frawd i weld pa niwed a achosodd. Roedd Dafydd, Tomos a Siôn yn dynn wrth ei sodlau. 'Meredydd, wyt ti'n iawn?' holodd Madog yn bryderus.

'Fues i 'rioed cystal,' atebodd gan wenu, er yn crynu braidd.

Roedd yn lwcus iawn. Gallai fod wedi brifo'n arw

o daro'i ben. Roedd ganddo, serch hynny, chwydd fel wy estrys ar ochr ei wyneb.

Neidiodd ci bychan a oedd yn wyn drosto, heblaw am y coch ar flaenau ei glustiau, i gôl Meredydd a dechrau llyfu ei wyneb. Y gwannaf o'r criw o gŵn bach oedd hwn, ac roedd Meredydd wedi gorfod erfyn ar yr heliwr i beidio â'i foddi a'i roi iddo ef. Ildiodd yn y diwedd a galwodd Meredydd y ci yn 'Lwcus'.

'Gad iddo lyfu'r briw i gyd,' meddai Tomos, a chytunodd y gweddill gan wybod bod ci bob amser yn gwella'i ddoluriau ei hun drwy eu llyfu.

Pan ddaeth Meredydd ato'i hun, eisteddodd y bechgyn mewn cylch o dan y goeden fawr a dechreuodd Madog adrodd un o'i hoff straeon wrthynt. Un o straeon Iolo Goch oedd hi'n wreiddiol.

'Amser maith yn ôl,' dechreuodd, 'pan oedd 'Nhad flynyddoedd yn iau, ef oedd y milwr gorau a fu erioed.'

Gorweddodd Meredydd ar ei gefn ar y glaswellt a chaeodd ei lygaid. Gwrandawodd yn astud ar Gymraeg melfedaidd ei frawd. Gwyddai'r stori i gyd. Hanes Ewyrth Tudur yn cael ei anfon i Ferwig yng Ngogledd Lloegr i geisio cadw golwg am yr Albanwyr mileinig a ymosodai ar y ffin. Roedd Crach Ffinant yn cadw cwmni iddo. Yno cyfarfu ei dad â llawer o farchogion pwysig y dydd, ac yn eu plith Syr Henry Percy, Iarll Northumberland, a'i fab dewr a phenboeth. Gelwid hwnnw'n Hotspur gan yr Albanwyr oherwydd ei arferiad o ruthro'n danbaid i frwydr.

'Bu mewn sawl sgarmes yn ystod y flwyddyn honno,' ychwanegodd Madog, 'ac roedd yn ymladdwr ffyrnig a dewr. Edrychai'n odidog ar gefn ei farch cryf, Llwyd y Bacsie. Cariai waywffon fawr o ddur, a gwisgai siaced o wneuthuriad da a helmed oedd mor wyn ag eira.'

Cymerodd Madog saib am ennyd ac yna, dan wenu, aeth yn ei flaen, oherwydd roedd gwefusau Meredydd i'w gweld yn adrodd y stori'n dawel bach gyda'i frawd mawr.

'Fel bod pawb yn ei adnabod a'i ofni, roedd wedi gosod tair pluen goch, plu aderyn o'r Aifft ar ei helmed. Wrth iddo farchogaeth yn ddewr i frwydr, a'r plu'n chwifio uwch ei ben, dychrynai'r gelyn gan wasgaru a sgrechian fel geifr gwyllt, oherwydd nid yn unig oedd y pencampwr mawr hwn o Gymru wedi malu ei darian yn deilchion am ei fod mor ffyrnig, ond roedd hefyd wedi malu ei waywffon gyda'i gryfder anarferol.

'Rhuthrai ymlaen fel draig wyllt, gan ddefnyddio'r hyn oedd ar ôl o'i waywffon fel dagr. Llifai gwaed ewynnog coch i bob man, gan ddychryn pawb.'

Ni siaradai neb ar ddiwedd y stori.

Agorodd Meredydd ei lygaid a throdd i edrych ar ei frodyr.

Cydiodd pawb yn y cleddyfau, y gwaywffyn a'r bwyelli i ailddechrau brwydro.

Gan ddilyn y gweddill, rhedodd Meredydd drwy'r parc ar gefn ei geffyl dychmygol, ei blu cochion, balch yn ddychryn i'r gelyn a llwybr o gelanedd y tu ôl iddo.

Y Llys yn Sycharth

Teimlodd Marged Glyndŵr ryw ysfa sydyn i hel y plant i'r tŷ.

Doedd fawr ddim yn ei chynhyrfu fel rheol, a gwyddai o'r gorau bod yr emosiwn cryf a deimlai yn ei bron yn awr yn gwbl afresymol, ond roedd dyfodiad Gruffudd a'i brawd wedi tarfu arni y tu hwnt i unrhyw reswm.

A dyna pam y cerddai'n fân ac yn fuan yn awr, â golwg bryderus ar ei hwyneb, dros y bont a groesai'r ffos o amgylch y llys, a thuag at y parc ceirw yn y coed.

Yn dynn wrth ei sodlau roedd Lowri, chwaer Owain. Y tu ôl iddi hi roedd nyrs y plant ac yn dilyn wedyn, dau was a oedd wedi rhoi'r gorau i'w gwaith ar orchymyn eu meistres. Yn llusgo y tu ôl iddynt i gyd oedd Gruffudd, gyda'i wyneb lluniaidd yn fflamgoch.

Ceisiodd osgoi wynebau chwilfrydig y criw a oedd wrthi'n ymgasglu wrth y porthdy, a llygaid busneslyd y llafurwyr yn y caeau.

A dweud y gwir, roedd Gruffudd yn dyheu am gael dychwelyd i Lyndyfrdwy, lle'r oedd ei dad a'r rhan fwyaf o'r gwŷr; ond pan ofynnwyd iddo fynd â neges at ei fam yn Sycharth gyda'i ewyrth, nid oedd ganddo unrhyw ddewis ond cydymffurfio'n fonheddig.

Gwenodd ei Ewyrth Tudur arno. Gwyddai o'r

gorau beth oedd yn ei boeni.

'Fe gei di fod yn rhan o'r cyffro'n hen ddigon buan, Gruffudd. Mi rydan ni wedi aros am amser maith, wnaiff ryw ychydig oriau eto ddim gwahaniaeth.'

Ryw ychydig oriau eto! Ymddangosai fel oes!

Doedd Gruffudd ddim yn dymuno aros. Teimlai gywilydd yn llusgo y tu ôl i'r merched, y nyrsus a'r gweision.

Pam na allai ei ewyrth wneud hynny, yn hytrach na cherdded yn ôl ac ymlaen, yn ôl ac ymlaen hyd llawr pren y llys, ei ben ymhlyg a'i aeliau'n drwm.

Pam na allai ef fynd i hebrwng y plant i'r tŷ?

'Dacw nhw, Gruffudd, ar ymyl y parc ceirw.'

Gwelodd Gruffudd y pryder ar wyneb ei fam wrth iddi droi ato, a chlywodd yr ofn yn ei llais tyner.

Cywilyddiodd wrtho'i hun am fod mor hunanol.

'Mi af i i'w nôl. Byddaf yn gynt na'r gweddill ohonoch gyda'ch gilydd.'

Rhedodd Gruffudd heibio iddynt, gan chwerthin wrth glywed un o'r gweision yn dweud y drefn am blant yr oes hon, a pha mor bowld yr oeddent!

Teimlai'n well wedi iddo gael rhedeg a gollwng stêm.

Ymhen rhai munudau, roedd wedi codi'r bychan, Tomos, ar ei ysgwyddau ac roedd Siôn a Meredydd ar y naill ochr iddo'n tynnu yn ei freichiau ac yn gweiddi am eu tro hwy. Rhedai Madog a Dafydd o'u blaenau gan chwarae ymladd yn llawen.

Dan barablu pymtheg i'r dwsin, daethant at eu mam a'i chwmni. Roedd Marged yn amharod iawn i ymuno yn y chwerthin heddiw.

'Dewch i mewn i'r tŷ, fechgyn, at eich chwiorydd. Mae'n rhaid i'ch ewyrth a minnau siarad gyda chi am rywbeth pwysig iawn.'

Ar unwaith, peidiodd y sgwrsio, ac agorodd llygaid bob un o'r plant yn fawr fel soseri. Edrychodd Madog ar Dafydd drwy gornel ei lygaid. Roedd y ddau ohonynt wedi dyfalu'n iawn – roeddent wedi synhwyro bod rhywbeth ar droed.

Roedd y drysau caeëdig a'r olwg syn ar wynebau eu chwiorydd hŷn yn siarad cyfrolau. Gwelwyd llawer mwy o ymwelwyr dieithr na'r arfer yn y llys hefyd ac roedd rhyw olwg bell wedi bod yn llygaid eu mam ers dyddiau.

Roedd y cyfan i'w weld yn llygaid Gruffudd hefyd ac wrth gerdded yn ôl i'r llys, ceisiai Meredydd gael rhagor o wybodaeth gan ei frawd mawr. Ond pa beth bynnag a wyddai Gruffudd, roedd yn ei gadw iddo'i hun.

Cododd crëyr o'r brwyn, a oedd wedi'i ddychryn gan y fath brysurdeb wrth ymyl y pwll pysgod. Diferai'r dŵr oddi ar ei draed nes tarfu ar arwyneb llyfn y pwll. Arhosodd Meredydd i wylio patrwm y dŵr oherwydd nid oedd y pwll hyd yn oed yn edrych fel pe bai'n fo'i hun. Arferai fod mor llonydd, ond heddiw, roedd rhyw gynnwrf ar ei wyneb.

'Mae'n edrych mor flin,' meddai, wrth i'w fam gerdded yn ôl ato a rhoi ei braich am ei ysgwyddau i'w hel yn ôl at y gweddill.

'Beth sydd gennych chi ac Ewyrth Gruff i'w ddweud wrthym, mam?' gofynnodd, ond ni chlywodd ei fam y cwestiwn. Roedd hi'n rhy brysur yn syllu i ddyfnder y dŵr.

Yn y llys, roedd Gruffudd Hanmer wedi rhoi'r gorau i gerdded yn ôl ac ymlaen ar hyd y llawr. Safai bellach wrth y ffenestr â'i fysedd yn taro'r gwydr yn ddiarwybod iddo'i hun. Gwyliai ef ei chwaer yn cerdded oddi wrth y pwll pysgod gyda Meredydd. Roedd mor brydferth ag erioed, a'i gwên yn gynnes o hyd.

Bu'r blynyddoedd yn garedig iawn â Marged. Er iddi fagu pwysau ar ôl cael cynifer o blant, roedd hi'n dal i fod yn dlws iawn o hyd, gyda gwallt trwchus, er iddo fod yn britho ryw fymryn.

Wrth iddi gerdded dros y bont, sylwodd Gruffudd am y tro cyntaf pa mor debyg oedd hi i'w mam, Angharad.

Ac yna gwelodd ei mab, Gruffudd, yn troi'n ôl ati hi a Meredydd i'w hebrwng i'r tŷ.

Gwenodd yr ewyrth. Byddai ei nai yn gwneud milwr da, ac yn dilyn yn ôl troed ei dad. Ôl troed ei dad! Does bosib y byddai hynny'n arwain at ddyfodol llawer mwy ansicr i Gruffudd na'i broffesiwn diogel ef? Ochneidiodd Gruffudd Hanmer.

Ymddangosai y cyfnod hwnnw pan ddilynodd Owain ôl ei droed ef mor bell yn ôl. Cyfnod arall, byd arall bron, a'r ddau ohonynt yn llafnau brwd yn cychwyn am Loegr i astudio'r gyfraith ac arferion y llys yn yr ysgol yn San Steffan.

Roedd tad Gruffudd, Dafydd Hanmer, yn rhingyll-yn-y-gyfraith bryd hynny ac aeth â hwy i'w siambr breifat yn llawn balchder cyn galw ar glerc ifanc i'w hebrwng i'r ysgol.

Mwynhaodd Gruffudd astudio yno, ac roedd yn falch o'i swydd fel twrnai erbyn hyn. Roedd y gwaith yn gweddu iddo i'r dim. Astudiodd Owain yntau'n galed, ond gwyddai Gruffudd y byddai'n dewis llwybr gwahanol i'w lwybr ef yn y pen draw.

Gan godi ei olygon oddi wrth y bont, edrychodd dros do'r eglwys a'i ffenestri disglair, dros y becws a'r winllan, a thros y caeau a oedd eisoes wedi'u cynaeafu, draw heibio'r felin brysur ar lan dyfroedd gwyllt afon Cynllaith tuag at fynyddoedd y Berwyn. Disgleiriai'r dail euraid fel arfwisg gloyw ar y llethrau coediog.

Y Gwelltyn Olaf

Mae tref farchnad Rhuthun i'w gweld i'r gogledd o Lyndyfrdwy. Ceir yno ôl troed y Brenin Arthur, ac yn y farchnad gwelir carreg fawr yn yr union fan lle torrodd Arthur ben gormeswr yn ôl yr hanes.

Canfyddir llawer o Saeson yn Rhuthun, er bod yno rai Cymry hefyd. Teyrnasir arnynt i gyd gan Reginald Grey, arglwydd Seisnig, y trydydd o'r un enw i ddal yr arglwyddiaeth. Ef oedd yn gyfrifol am gario'r sbardunau aur pan goronwyd Henry Bolingbroke, gan ei fod yn gyfaill agos i'r brenin.

Ceir eglwys yn dwyn yr enw Sant Pedr yn Rhuthun – mae'r to wedi'i addurno'n gain a chynhelir offeren ddyddiol ynddi i weddïo dros eneidiau hynafiaid teulu'r Grey.

Ychydig a wêl pobl y dref o'r Arglwydd Grey, a does neb yn cwyno am hynny. Erys yn aml ar ei stadau eraill, gan iddo feddu ar diroedd helaeth yn nwyrain Lloegr, ac ar adegau eraill bydd yn brysur yn trin materion seneddol yn llys Henry.

Serch hynny, bydd yn ymweld â Rhuthun yn ddigon aml i gadw llygad ar ei weithwyr ac i arglwyddiaethu ar ei denantiaid, yn arbennig y Cymry. Bydd y rhan fwyaf o'r rhain yn moesymgrymu'n amharod iddo yn ei wyneb, ac yna'n poeri y tu ôl i'w gefn.

Nepell o Ruthun, mae tir Grey yn ffinio â chors gymharol fawr a elwir yn Gomin Croesau gan bobl yr ardal. Tir Owain Glyndŵr yw hwn.

Penderfynodd Grey ar un adeg mai ef oedd â'r hawl i fod yn berchen ar y tir hwn. 'Mae'n ffinio â'm Harglwyddiaeth i, felly fi ddylai fod y perchennog,' meddai, gan hanner disgwyl i Owain gytuno'n fonheddig. Nid felly y bu pethau wrth gwrs.

Gyrrodd ei luoedd ef wŷr Grey ymaith o'i dir sawl gwaith wedi hynny wrth iddynt geisio'i feddiannu. Yn y diwedd, collodd Owain ei amynedd gyda'r cyrchoedd a phenderfynodd roi terfyn ar y mater unwaith ac am byth, ac aeth i'r llys yn San Steffan.

'Fi biau'r tir,' meddai, gan bledio'i achos. Roedd Owain yn gyfarwydd â'r gyfraith, felly roedd yn hyderus y byddai'n ennill, ac felly y bu. Roedd Grey yn anfodlon iawn â'r penderfyniad, ond ni allai wneud dim oherwydd y brenin Richard a deyrnasai bryd hynny, ac nid oedd hwnnw'n cael ei ystyried mor uchel ei barch ganddo ef. Torrwyd ei grib yn arw – nid oedd yn hoffi cael ei drechu gan neb, ond roedd y ffaith mai Cymro oedd wedi troi'i drwyn yn rhwbio halen ar y briw. Er bod Owain Glyndŵr o dras fonheddig, ni fyddai Grey'n anghofio hyn.

Felly cyn gynted ag y daeth ei gyfaill, Henry, i'r orsedd, ceisiodd Grey feddiannu'r comin unwaith yn rhagor. Roedd yn casáu Owain erbyn hyn.

Nid oedd hyd yn oed yr arglwyddi a wnaeth gyfiawnder ag Owain yng nghyfnod Richard yn fodlon gwrando ar ei achos yn awr. Roedd amgylchiadau, swyddi, y brenin a'r gyfraith hefyd yn ôl pob tebyg wedi newid gyda threigl amser.

'Beth yw'r ots gennym ni am y Cymry!' oedd y gri a ragflaenodd y chwerthin gwawdlyd.

Yn chwerthin yn fwy croch na neb, ac yn mwynhau pob eiliad roedd Grey. O, mor felys oedd y dial ac o, mor braf oedd cael gwylio'i gymydog yn cael ei wawdio fel hyn.

Beth oedd ots ganddynt hwy am y Cymry, wir!

Yno, y diwrnod hwnnw, yn dyst i'r hyn a ddigwyddodd, oedd Adam o Frynbuga. Safai Owain yn dawel o'u blaenau wrth i'r chwerthin barhau.

Cododd John Trefor, Esgob Llanelwy, a eisteddai gerllaw Adam o Frynbuga, o'i sedd mewn dychryn wrth weld y fath amarch tuag at Gymro mor fonheddig. Pur anaml y gwelid Cymro mor uchel ei barch yn cael ei drin fel hyn ac o'r herwydd, plediodd arnynt i wrando ar achos Owain. Roedd John Trefor yn adnabod y Cymro hwn yn well nag un o'r rhai a oedd yn chwerthin yn afreolus o'i flaen erbyn hyn.

'Arglwyddi,' meddai, 'meddyliwch am y canlyniadau . . . ' ond nid oeddent am wrando ar ei lais.

Trodd Owain ar ei sawdl a cherdded yn gyflym tuag at y drws. Rhedodd Adam o Frynbuga ato i'w agor iddo. Gwyliodd yn ofalus wrth i Arglwydd Glyndyfrdwy frasgamu'n wyllt drwy'r coridorau tywyll, a geiriau'r estroniaid yn atseinio yn ei glustiau.

Yn y pellter, clywai'r Esgob Trefor yn dal i geisio'u rhybuddio, ond roedd ei eiriau'n cael eu boddi gan eu chwerthin a'u gweiddi.

Y Rhybudd

Ddydd ar ôl dydd, bob cyfle a gâi, byddai Grey yn atgoffa'r brenin o fygythiad Owain Glyndŵr.

'Nid yw ef yn ddyn y gallwch chi ymddiried ynddo,' rhybuddiai, neu 'Mae'n fy ngwylltio i, fy Arglwydd, ei fod yn dangos cyn lleied o barch tuag atoch chi.' Ac yna eto, 'Gofynnais iddo'n bersonol, yn unol â'ch gorchymyn chi, i ymuno â ni yn y cyrch yn yr Alban, ond gwrthododd,' heb gofio dweud ei fod wedi oedi'n hir cyn rhoi'r neges i Owain, fel na châi ddigon o gyfle i gasglu ei wŷr ynghyd.

'Gwrthod, fy Arglwydd, gredwch chi? Rwy'n dweud wrthych, helynt gawn ni gyda Owain Glyndŵr os na chaiff ei ddisgyblu rhag blaen. Rebel yw ef, yn siwr i chi.'

Yn anfodlon, rhoddodd Henry'r gorau i ddarllen ei lyfr. Gwyddai nad oedd llawer o gariad rhwng Grey a'r Cymry, ond eto'i gyd mae'n bur debyg fod peth gwirionedd yn yr hyn a ddywedai ei gyfaill.

Bu llawer o anfodlonrwydd yng Nghymru yn ddiweddar, a Glyndŵr oedd y math o ddyn fyddai'r bobl yn troi ato am arweiniad. Os felly, gellid ystyried ei amharodrwydd i ymuno â'r cyrch oedd i adael ymhen diwrnod neu ddau fel anufudd-dod, neu fel brad hyd yn oed.

Cododd Henry ar ei draed yn awdurdodol. Roedd wedi cael digon ar orfod ymdrechu i ennyn parch, a fyddai, fel arfer, yn dod yn naturiol i frenin.

Trawodd ei lyfr oddi ar y bwrdd i'r llawr, a brysiodd yr Arglwydd Grey i'w godi.

'Yn enw Duw,' meddai'r brenin, a'i wyneb yn goch gan ddicter, 'rydym wedi cael digon o anufudd-dod. Arglwydd Reginald, ewch â llythyr at Owain Glyndŵr, a dewch ag ef yma er mwyn i mi gael ei holi. Byddai'n braf clywed ei resymau dros anufuddhau i orchymyn brenhinol.'

Hwn oedd yr awdurdod yr oedd Grey wedi bod yn gweddïo amdano. Gan foesymgrymu'n wylaidd, a cheisio cuddio'i foddhad ynglŷn â phenderfyniad y brenin, gosododd y llyfr yn ôl ar y bwrdd yn ofalus ac aeth allan o'r ystafell. Bu'n gweithio ar ei gynllun ers amser maith.

Gorweddai'n effro ar ei wely noson ar ôl noson, yn ceisio meddwl am gynllun i ddal y Cymro haerllug. Dim ond un peth fyddai'n gweithio – byddai'n rhaid iddo hudo'r ddraig allan o'i chuddfan, ac oddi wrth ei gwarcheidwaid, er mwyn iddo fedru ei dal.

Anfonodd Grey lythyr caredig a oedd yn cynnig gweithredu fel canolwr ar ran Glyndŵr, a hynny er mwyn lleddfu ychydig ar anfodlonrwydd y brenin. Cynigiai hefyd gwrdd ag Owain mewn man canolog i drafod yr anawsterau oedd yn ei wynebu.

Darllenodd Owain y llythyr ac fe'i derbyniodd yn fonheddig. Byddai croeso i'r Arglwydd Grey ymweld ag ef; buasent yn medru cwrdd mewn gwersyll ar lethrau'r bryn nid nepell o Lyndyfrdwy.

Awgrymodd Owain y byddai deg ar hugain o ddynion yn ddigon o warchodlu i'r Arglwydd Grey.

Nid oedd Grey am wastraffu unrhyw amser.

Casglodd ei luoedd i gyd, a charlamodd i gyfarfod ei frawd, yr Arglwydd Talbot o'r Waun, a oedd yn aros yn y man cyfarfod gyda'i fyddin fawr. Wrth ddynesu at Lyndyfrdwy, cuddiodd y rhan fwyaf o'i fyddin yn y coed trwchus, ac aeth Grey yn ei flaen gyda deg ar hugain o ddynion, fel yr addawyd.

O ddrws y babell fawr ar ben y bryn, gwyliai Owain yr Arglwydd Reginald Grey yn nesáu. Ymddangosai popeth mewn trefn, ond gwyddai o brofiad na ellid ymddiried yn ei gymydog. Camodd allan o'r babell yn ofalus i groesawu ei wrthwynebydd.

Cadwai'r bardd ffyddlon, Iolo Goch, lygaid ar y digwyddiadau oddi ar dwmpath o laswellt yn uwch i fyny. Ni allai weld cystal erbyn hyn, ac yntau dros ei ddeg a thrigain. Serch hynny, gwyddai nad oedd y symudiadau a welai yn awr yn y coed trwchus ac ar draws y dolydd yn perthyn i ddynion Owain. Wrth droi oddi ar y twmpath, gwelodd un o ddynion Owain a oedd i fod wrthi'n cadw gwyliadwriaeth ar gopa'r bryn, yn rhedeg i lawr tuag ato.

'Milwyr . . . yn y caeau,' gwaeddodd.

'Fe wn i,' atebodd Iolo, gan gychwyn i lawr y llethrau i rybuddio Owain.

Edrychodd Owain ar Iolo wrth iddo gamu i mewn i'r babell lle'r oedd Grey yn siarad yn uchel ei gloch.

Dynesodd y bardd yn gwrtais, gan wenu'n garedig.

'Yn ôl ein harfer, Arglwydd Owain, hoffwn adrodd cerdd i'r Arglwydd Reginald Grey o Ruthun, i ddathlu'r ymweliad hwn.'

Ochneidiodd Grey yn ddiamynedd. Dro ar ôl tro, bu raid iddo ddioddef arferion a chroeso'r Cymry. Doedd ganddo ddim amser heddiw i feirdd a'u nonsens.

'Os oes raid i chi' atebodd yn ddiamynedd. Lledodd y wên ar wyneb Iolo a pharatôdd i adrodd.

Ni wrandawodd Grey ryw lawer wrth i Iolo Goch adrodd hanes ar gân am dywysog o Gymru. Taflwyd calon brawd y tywysog hwn, a ddienyddiwyd yn yr Amwythig, i ganol fflamau'r tân, ond ni losgodd. Yn hytrach, neidiodd o'r fflamau'n wyllt, gan daro'r dienyddiwr yn ei lygad a'i ddallu. Stori am frad oedd hon.

Deallai Grey ddigon o Gymraeg i fedru dilyn Iolo Goch, ond roedd cymhlethdodau'r hen ffurf farddonol a'i hystyron cryptig y tu hwnt i'w ddealltwriaeth.

Eisteddai Owain ar stôl bren a gwrandawodd yn gwrtais ar y gerdd. Ar y diwedd, diolchodd i'r hen fardd am ei amser, ac yna esgusodi ei hun, cyn gadael y babell.

Trodd Iolo at yr Arglwydd Grey ac meddai yn Saesneg, 'Mae'n arferiad gwobrwyo fy ymdrechion gyda rhyw arwydd bychan o ddiolch. Mae'n bur debyg mai wedi mynd i nôl rhywbeth i mi mae

Owain – cyllell efallai, neu glogyn i gadw'r hen esgyrn 'ma'n gynnes. Does wybod beth i'w ddisgwyl yn aml iawn.'

Bu saib am rai eiliadau.

'Un tro,' meddai Iolo, gan dorri ar y tawelwch, 'un tro, cefais farch newydd gan yr Arglwydd Ithel ab Robert. Rwy'n siwr eich bod wedi clywed amdano, Arglwydd Grey? Roedd yn archesgob yn Llanelwy, sydd yn agos iawn i ni yn y fan yma, fel y gwyddoch. Pan glywodd 'mod i wedi torri 'nghalon am i mi golli fy march, anfonodd griw o feirch hardd ataf, ac roedd yn braf iawn cael dewis march arbennig i mi fy hun . . . '

Parhâi Iolo Goch i barablu, gan wenu drwy'r amser ar yr Arglwydd Grey o Ruthun. Roedd yntau'n mynd yn fwy a mwy diamynedd wrth ddisgwyl am Owain, ac yn cerdded yn ôl ac ymlaen ar hyd y babell.

Cymerodd beth amser iddo sylweddoli bod y ddraig wedi dianc.

Y Cyrch

Mewn ardal Seisnig o Ruthun, yn Stryd y Felin, penliniai gwraig wrth ymyl gwely ei gŵr gwael yn gweddïo'n dawel.

Roedd wedi blino'n lân, am nad oedd wedi cysgu winc ers nosweithiau gan fod ei gŵr angen cymaint o ofal.

Bu'n ei fwydo â sudd persli a dim byd arall am dridiau i geisio cryfhau ei stumog, ond doedd dim arwydd ei fod ar wella. Roedd ganddo wres uchel a gwaeddai yn ei gwsg – ofnai'r eirth a'r diafoliaid duon a redai ar ôl ei enaid.

Clywsai ei briod am wraig yn Stryd Mwrog a oedd yn gallu gwella pobl. Felly, cyn iddi wawrio, anfonodd ei mab, Martin, i chwilio amdani.

Am ryw reswm, roedd Isabella Pypot wedi codi'n gynt na'r arfer.

Arferai gysgu'n drwm a chan iddi fod mor brysur yn ystod y dyddiau diwethaf, roedd ganddi ddigon o reswm dros gysgu'n dda. Tybiai fod ryw sibrydion wedi crwydro i'w breuddwydion a rhwng cwsg ac effro, gorweddai'n anesmwyth ar ei gwely o frwyn, yn disgwyl yn ddiamynedd am doriad gwawr. Ac felly, pan alwodd bachgen ifanc arni o'r tu allan i'r drws, roedd eisoes yn gwbl effro ac wedi gwisgo.

Gan daro siôl denau dros ei hysgwyddau i'w gwarchod rhag oerni'r bore bach, a gwthio rhai cudynnau o'i gwallt brith o dan ei chap, dilynodd y llanc ifanc drwy'r gwyll, dan hanner ei geryddu am fod mor fuan ar ei draed.

Roedd yn fodlon cael golwg ar ei dad ond nid oedd yn ffyddiog y gallai ei wella. 'Mae'n anodd cael gwared o'r cryd adeg cwymp y dail, ac yn amlach na pheidio, mae'n angheuol,' meddai wrth y bachgen. 'Does gen i ddim llawer o ffydd y gallaf wella'ch tad.'

Nid atebodd y bachgen, dim ond cicio carreg fechan mor galed ag y gallai gyda'i draed noeth.

Wrth gyrraedd Stryd y Felin, roedd y wawr ar dorri, ac roedd Isabella wedi cwyno bob cam. 'Arafa'r cnaf, fedra i ddim mynd yn gynt,' griddfanodd.

Yn sydyn, ymddangosodd cysgod dyn o'u blaenau. Ymgroesodd Isabella yn ei braw, ac yn fyr ei gwynt, dywedodd 'bore da' wrtho cyn symud o'i ffordd.

Crydd a berthynai i Ddafydd o Fôn, a laddwyd yn Rhuthun adeg yr Ŵyl Fihangel ddiwethaf, oedd y gŵr. Mwmiodd rywbeth dan ei wynt cyn brysio i lawr y stryd. Mae'n bur debyg ei fod ar ei ffordd i wneud esgidiau ychwanegol ar gyfer ffair Sant Mathew, sef ffair fwya'r dref a oedd i'w chynnal ymhen tridiau. Gwenodd Isabella'n fodlon wrth feddwl am ba mor llawn fyddai'r dref y diwrnod hwnnw. Bu hithau hefyd yn gweithio'n galed yn ddiweddar, yn paratoi nwyddau ar gyfer y ffair fawr, ac roedd ei dwylo'n dal wedi'u staenio ar ôl iddi gasglu'r holl aeron. Treuliodd ddyddiau lawer yn golchi ac yn sychu'r gwreiddiau, oherwydd gwerthent yn dda bob amser. Arferid eu crogi yn y tŷ i gadw ysbrydion drwg draw. Ymgroesodd Isabella wrth gamu i mewn i'r tŷ. Roedd yno arogl drwg, ac roedd y gŵr i'w glywed yn pesychu'n galed. Roedd yn ddigon cyfarwydd â'r sŵn hwnnw i wybod mai sŵn marwolaeth ydoedd.

Wrth i'r wawr dorri ac wrth i'r niwl godi'n uchel uwchlaw castell coch Rhuthun, cychwynnodd pobl y dref am eu gwaith. Y tu allan i'r waliau, brefai gwartheg y porthmyn yn swnllyd. Canai'r clychau ar do Eglwys Sant Pedr i groesawu'r bore newydd. Atseiniai eu sŵn dros winllannoedd Grey, nes diflannu yn nyfnderoedd coed trwchus y parc ceirw.

Gerllaw'r parc hwnnw, yng Nghoed Marchan, yn dawel ac o'r golwg, roedd criw o ferched wedi ymgasglu. Eisteddai dwy ohonynt, dwy wraig weddw, yn chwerw eu gwedd. Roeddent am ddial, hwy a thair arall oedd â gwŷr i ofalu amdanynt o hyd. Sibrydent yn nerfus am ddigwyddiadau'r dydd i ddod.

Pwysodd Gwenllian Clai yn ôl ar y boncyff caled oedd y tu ôl iddi. Teimlai lafn oer ei bwyell yn erbyn ei choes, a gwenodd wrth feddwl pa mor finiog ydoedd. Roedd wedi rhoi min arni y diwrnod hwnnw gyda charreg hogi dda ar lan yr afon.

Gwelodd y wraig gron, fochgoch gyferbyn y wên ar wyneb Gwenllian a gwenodd hithau'n ôl. Safai ar wahân i'r gweddill, yn y cysgodion, â Ieuan ap Bleddyn, gweithiwr newydd yn nhref Rhuthun wrth ei hochr. Ar y dde iddo ef, arhosai rhyw ddau i dri chant o ddynion am orchymyn Owain a'r tu ôl iddynt hwy roedd y telynor, Llywelyn Caio.

Gwisgai lawer o'r dynion arfwisg, ac roedd pob un yn cario arfau o ryw fath – cleddyfau a bwâu, saethau, bwyeill, cyllyll ac ati.

Daethant o sawl cwm, Edeirnion, Llangollen, ucheldiroedd Iâl, Bryn Eglwys, dyffrynnoedd toreithiog Ceiriog a Chlwyd, a glannau'r Bala. Daeth wyth deg a saith o denantiaid Mortimer o Ddinbych. Yno hefyd roedd rhai o denantiaid Grey – y rhai a boerai arno wedi iddo droi ei gefn, yn ogystal ag unarddeg o ddynion o Ruthun ei hun a mwy na chant o'i arglwyddiaeth yn Nyffryn Clwyd. Arglwydd Cymreig Brynlluarth oedd yn eu harwain.

Roedd yno farwniaid Cymreig eraill hefyd, a chaplan o Landrillo.

Cyrcydai Crach Ffinant rhwng dwy dderwen hynafol a lapio'i glogyn yn dynn amdano. Ni ellid ei weld yn hawdd iawn ond gwelai ei lygaid craff ef bopeth a ddigwyddai. Gwyliai bob symudiad a wnâi Owain yn awr.

Safai Tudur ei frawd a Gruffudd ei fab wrth ei ochr.

'Dylent fod yn agor y giatiau nawr,' sibrydodd Gruffudd, gan geisio cuddio'r cyffro yn ei lais.

Trodd Owain i edrych ar ei fab, â'i lygaid ar dân.

Wrth i giatiau tref Rhuthun agor, roedd Owain a'i ddilynwyr eisoes yn rhuthro ar draws y caeau.

Syllodd Isabella Pypot gyda llygaid soseri wrth weld cymaint o ddynion yn rhuthro ar draws y ddôl am y dref. Roedd wedi codi'i stondin i werthu'i nwyddau wrth y porth agored ac i ddechrau arni, roedd yn meddwl mai criw o bobl gyffredin yn brysio am y farchnad oedden nhw. Ond wrth iddynt nesáu, daethant yn gliriach yn ei llygaid. Doedd y werin ddim yn marchogaeth ceffylau, yn chwifio baneri lliwgar nac yn cario metel oedd yn fflachio yn haul y bore.

'Rhedwch! Ffowch am eich bywydau!' gwaeddodd rhywun, ond roedd hi wedi'i rhewi yn yr unfan, yn methu â deall yn iawn yr hyn oedd yn digwydd o'i chwmpas.

Yn sydyn, cipiwyd hi gan ddyn a safai wrth ei hymyl a dechreuodd y ddau redeg at faes y farchnad ac ar ôl baglu dros fwrdd neu ddau, gan eu cicio o'r neilltu yn ei wylltineb, gadawodd hi yn ddiseremoni wrth borth yr eglwys.

'Dos i guddio, hen wraig,' galwodd yn gras dros ei ysgwydd, ac am yr ail dro y diwrnod hwnnw gwyliodd Isabell y crydd, le Corvisor, yn brysio i lawr stryd gyfagos mewn tyrfa wyllt o bobl, gwartheg a defaid. Roedd môr o bobl y dref bellach yn gwthio drwy ddrws yr eglwys ac yna'n sydyn, chwalodd pawb i bob cyfeiriad wrth i gawod o saethau tân chwibanu a phoeri uwch eu pennau.

Casglodd Isabella hynny o nerth oedd ganddi a rhedodd rownd y gornel, heb wybod i ble'r oedd hi'n mynd.

Roedd yn fuddugoliaeth lwyr i Owain.

Mae'n wir nad oedd Grey ei hun yn digwydd bod yno, ac nad oeddent wedi llwyddo i gipio'r castell, ond roedd y dre yn wal o fflamau wrth i Owain a'i ddynion farchogaeth o Ruthun, gan yrru gwartheg gorau dyffryn Clwyd o'u blaenau. Brathai llais Crach Ffinant yr awyr yn gymysgedd o herio'r gelyn a galw hen ddarogan i gof.

'Bydd ein rhyfelwyr yn chwalu'r gwŷr estron!' gwaeddodd. 'Bydd y Cymry'n curo, bydd eu harweinydd yn wych! Bydd llafnau'n hollti pennau; bydd gwragedd yn weddwon; bydd meirch rhyfel a'u cyfrwyau'n wag. Bydd wylofain mawr o flaen rhuthr ein milwyr . . . ' Ac felly yn ei flaen yn ddi-baid bob cam o'r daith o Ruthun.

Cyn gynted ag y teimlai ei bod yn ddiogel iddi, llusgodd Isabella Pypot ei hun allan o'r twll roedd hi wedi bod yn cuddio ynddo, gan fod y mwg yn twchu yn y stafell.

Roedd pob man o'i chwmpas i'w weld ar dân – pob man, ond y tŷ lle'r oedd hi wedi dewis cuddio ynddo a rhwng y mwg, y fflamau a'r difrod, doedd dim posib iddi adnabod unlle na chael o hyd i'w ffordd oddi yno. Cydiwyd yn ei braich gan wraig ifanc oedd yn rhedeg heibio.

'Lle ydi'r fan yma ac i ba gyfeiriad mae Stryd

Mwrog?' Ond fedrai'r wraig ddim dweud mwy wrthi na'i bod yn credu mai Stryd y Ffynnon oedd y fan honno.

Bu Isabella'n chwilio a chwilio, ond ni lwyddodd i ddod o hyd i'w chartref – a doedd hynny ddim yn syndod oherwydd pan dorrodd y wawr drannoeth, gwelwyd mai dim ond dau dŷ oedd ar ôl o'r dref gyfan. Dau dŷ a chastell.

Brenin Lloegr

Roedd Henry mewn tymer ddrwg wrth adael yr Alban. Er gwaetha'i ymdrech lew, a'r arian mawr a wariwyd, roedd ei gyrch yn erbyn yr Albanwyr wedi methu.

Beth amser ynghynt, roedd wedi rhoi gwybod i frenin yr Alban a'i farwniaid ei fod yn disgwyl iddynt dalu gwrogaeth iddo yng Nghaeredin yn ystod mis Awst – gorchymyn digon syml. Hwn oedd y rheswm pam yr oedd Henry yn marchogaeth yn awr, yn ei arfwisg orau, hyd lwybrau garw'r Alban, ar ei ffordd i'r ddinas i dderbyn eu croeso. Roedd tair mil ar ddeg o filwyr yn ei ddilyn, ac roedd y rhan fwyaf ohonynt yn cwyno am fod mor bell o gartref ac yn melltithio glaw diflas yr Alban.

Nid oedd yr Albanwyr yn fodlon brwydro. Y cyfan a wnaethant oedd dianc am yn ôl o afael Henry, gan fynd ag unrhyw beth a fyddai'n bwydo neu'n cynorthwyo byddin brenin Lloegr gyda hwy. Os oedd raid gadael unrhyw beth ar ôl, roeddent yn ei ddinistrio neu'n ei losgi cyn iddynt fynd. Ni chafodd y Saeson gyfle i frwydro ac ni thalwyd gwrogaeth i Frenin Lloegr gan yr un copa walltog ychwaith. Gwastraff amser fu anfon negesydd Henry i holl drefi'r arfordir i ddarllen telerau'r datganiad brenhinol.

'A gofalwch chi,' gorchmynnodd Henry, 'fod y datganiad yn cael ei ddarllen yn uchel a chlir yng

Nghaeredin ei hun.' Ac felly y bu, ond yn ofer.

Erbyn i Henry gyrraedd Caeredin, roedd ei fyddin yn llawer llai. Roedd ei ddynion wedi'i adael un ar ôl y llall gan fod y siwrnai mor faith a llwglyd. Ac felly, nid oedd gan Frenin Lloegr, heb lawer o ddynion, arian nac adnoddau, unrhyw obaith o feddiannu'r ddinas mewn gwirionedd.

Er hynny, canwyd rhybudd uchel drwy gorn maharen. Roedd ei sŵn yn ddigon croch i ddychryn y meirw, ond nid oedd i'w glywed mor fygythiol yn erbyn waliau cryfion y gaer gadarn, a buan y diflannodd i awyr llaith a niwlog yr Alban.

Oddi mewn i'r gaer, eisteddai David, etifedd gorsedd yr Alban. Roedd yn llawn cyffro ac yn barod i amddiffyn ei ddinas.

'Danfona dy farchogion gorau ata i, Henry Bolingbroke,' gwaeddai'n drahaus. 'Cant, dau gant . . . tri os mynni, ac ar fy llw, bydd gwŷr dewr yr Alban yn eu setlo ymhen dim.'

Bu'n rhaid i Henry droi'n ôl gan fodloni ar gyfarfod gyda chynrychiolydd o'r Alban wrth y groes rhwng Caeredin a Leith. Roedd yno lawer o Albanwyr â'u tafod yn eu boch ynglŷn â hawl Henry, a theimlent gynddaredd tuag ato. Ac felly, brenin blin iawn oedd brenin Lloegr wrth deithio tua'r de drwy Durham ac ymlaen i Bontefract, lle'r oedd straeon yn dew ymhlith y bobl bod ei gefnder, Richard wedi marw o newyn. Ceisiodd Henry osgoi meddwl am yr hyn oedd yn pigo'i gydwybod

Cristnogol.

Nid oedd perswadio Richard i ildio'r orsedd iddo ef wedi bod yn waith mor rhwydd ag y byddai wedi'i ddymuno. Hyd yn oed wedi i ysbryd ei gefnder farw, i Dduw yr ildiodd ei goron yn y diwedd, nid i Henry.

Ac i bwy oedd Duw i roi'r goron? Neb llai na Henry Bolingbroke. Byddai'n dangos i bob un ohonynt bod Duw wedi'i ddewis ef yn frenin.

Sythodd Henry yn ei gyfrwy. Erbyn cyrraedd Doncaster, roedd meddyliau dwys Pontefract wedi diflannu o'i feddwl, ac roedd ei gydwybod yn pigo llai.

Roedd yr Alban, fodd bynnag, yn dal ar ei feddwl, a geiriau Rothesay, y dug ifanc powld yn dal i atseinio yn ei glustiau.

Ar Fedi'r pedwerydd ar bymtheg, cyrhaeddodd Henry Northampton lle derbyniodd newyddion a barodd iddo anghofio am yr Alban am y tro. Doedd y dicter a'r anesmwythder a'i poenai gynt yn ddim i'w gymharu â'r cynddaredd a deimlai yn awr. Yn Northampton, cafodd wybod am y gwrthryfel yn Rhuthun, ac am frad yr arglwydd Cymreig, Owain Glyndŵr.

Roedd yr Arglwydd Reginald wedi bod yn llygad ei le.

Crychodd Henry ei aeliau'n flin a rhegodd wrtho'i hun. Gwrthryfel y Cymry oedd yn llenwi'i feddwl bellach.

Y Dial

Nid Owain oedd yr unig un i wrthryfela. Yn ôl pob tebyg, roedd Gwilym a Rhys, meibion Tudur ap Gronw a chefndryd i Owain ar ochr ei fam wedi codi eu llais ym mhellafoedd Môn yn ogystal; roedd y ddau frawd yma'n ddewr a mentrus, ac yn brofiadol iawn ar faes y frwydr.

Yn gandryll, penderfynodd Henry droi ei fyddin tua'r gorllewin ac anfon neges frys i'r Amwythig i'w rhybuddio o'r perygl o du'r Cymry a oedd yn eu plith.

Roedd Owain a'i ddilynwyr eisoes yn ymosod ar y Saeson yn Ninbych a chafwyd cyrchoedd ar Ruddlan, y Fflint, Penarlâg a Holt wedi hynny. Crëwyd alanas yng Nghroesoswallt a thrannoeth, codwyd ofn ar bawb yn y Trallwng.

Ni pheidiodd yr ymosod tan y pedwerydd ar hugain o'r mis. Cawsant eu dal bryd hynny'n ddirybudd gan lu Seisnig a gasglwyd ar frys

Rhedodd rai o'r Cymry i guddio yn y bryniau a chanfu Owain hafan ddiogel iddo ef a'i deulu ym mynyddoedd Eryri. Aeth rhai i'r coed ac eraill yn ôl i'w cartrefi gan obeithio na fyddent yn cael eu darganfod.

Ni lwyddodd pawb i ddianc. Y dydd Mawrth canlynol, aethpwyd ag wyth o'r rhain i gastell coch Rhuthun. Yno, yn y dref a ysbeiliwyd ganddynt ddeng niwrnod ynghynt, drwy ddwyn arian, llosgi tai a dwyn celfi a llieiniau ar gyfer eu gwragedd, fe'u crogwyd. Cafodd Isabella Pypot fraw o weld y fath ddinistr yn y dref.

Roedd yn arwydd drwg.

Yn yr Amwythig, gwyliai'r dyrfa mewn syndod wrth i'r Cymro, Gronwy ap Tudur, gael ei ddienyddio am frad. Torrwyd ei gorff yn bedwar darn a hoeliwyd un o'r darnau ar giatiau tref Bryste, un arall yn Henffordd, un yn Llwydlo a'r pedwerydd yng Nghaer. Byddai hynny'n esiampl i bob Cymro nad oedd Brenin Lloegr am dderbyn ymddygiad o'r fath gan unrhyw fradwr a feiddiai anufuddhau i'w gyfraith o. Roedd hefyd yn sicrwydd i'r Saeson bod iddynt gefnogaeth eu brenin.

Yn y cyfamser, roedd Henry'n gorymdeithio'i fyddin unwaith yn rhagor, â'i fab ifanc, Henry – neu Hal i'w gyfeillion – wrth ei ochr y tro hwn. Yn canlyn y faner frenhinol yn ogystal roedd dynion newydd o ddeg sir arall, wedi'u casglu ar hyd y daith. Gadawsant ddinas Caer a mynd tua'r gogledd-orllewin, gan ddilyn yr arfordir a chwilio am y gelyn.

Teithiodd y fintai o Ruddlan tua Chonwy. Caeai'r bryniau amdanynt yn awr a disgleiriai eu copaon calchfaen. Aethai'r llwybr yn fwy serth wrth iddo agosáu at Benmaenmawr ac roedd yn anodd i ddringo wyneb cul y graig fawr. Gwelent y tonnau'n torri'n drochion gwyn yn erbyn troed y penrhyn

garw islaw.

Gwyddai Henry'n iawn am y peryglon allai fod yn llechu mewn lle fel hyn. Roedd y clogwyn a'r môr yn cyfarfod yn y fan hon a gwyddai fod sawl herwgipiad wedi digwydd yma yn y gorffennol.

Ni ddaeth ar draws unrhyw berygl annisgwyl. Ni fu ymosodiad gan y Cymry.

Roedd y Cymry, fel yr Albanwyr, yn cadw draw o afael byddin Henry, gan guddio yn yr ogofâu tywyll. Nid oedd golwg o Owain Glyndŵr yn unman.

Er mwyn teimlo ei fod wedi cael dial mewn rhyw ffordd, penderfynodd Henry a'i luoedd i ymosod ar frodyr Llwyd a hanai o Lanfaes ar ynys Môn. Roedd y brodyr wedi bod yn brysur yn trin eu defaid a'u gerddi pan daranodd byddin Henry ar eu traws. Rhedodd y brodyr am eu bywydau o'u cartref sanctaidd yn eu braw, gan adael y lluoedd Seisnig i ysbeilio a difetha'r ychydig bethau oedd ganddynt yno.

Llosgwyd y fynachlog a llofruddiwyd yr ychydig frodyr anffodus a ganfuwyd yn llechu ynddi.

Ar Ynys Môn, fel yng ngweddill y wlad, ni ddangosodd yr un enaid byw wrthwynebiad i fyddin Henry.

Daethant i Ros Fawr, sef un o'r mannau uchaf ar ochr ddwyreiniol yr ynys, ac yno fe'u croesawyd yn ei ffordd ddihafal ei hun gan Rhys ap Tudur. Dychrynwyd Henry gan yr ymosodiad dirybudd, ond ni pharhaodd yn hir. Roedd fel pe bai'r ddaear wedi agor ac yna wedi'u llyncu drachefn. Er hynny, fe gafodd Rhys dalu'r pwyth i Henry am rywfaint o'r dinistr yn Llanfaes, ac mewn rhannau eraill o'r ynys.

Dan regi Rhys ap Tudur, aeth Henry yn ei flaen i geisio noddfa i'w ddynion yng nghastell Biwmares. Yna, pan dybiai ei fod yn ddigon diogel, cychwynnodd yn ôl am dde Lloegr.

'Mae'n rhaid dwyn holl diroedd ac eiddo Glyndŵr y gwrthryfelwr oddi arno,' dywedodd wrth ei fab, a'i adael yng Nghaer i weinyddu'r gorchymyn.

Cynigiodd bardwn i bob rebel heblaw am Owain Glyndŵr a'i gefndryd Rhys a Gwilym. Wrth deithio tua Llundain, meddyliai Henry am yr holl anawsterau a ddaeth i'w ran yn yr Alban ac yng Nghymru. Nid oedd wedi ymladd unrhyw frwydrau nodweddiadol, ond wedi dweud hynny, nid oedd wedi colli brwydrau chwaith.

Doedd yr Albanwyr ddim am blygu glin iddo, ond nid oeddent chwaith am godi cleddyf yn ei erbyn.

Roedd y Cymro, Owain Glyndŵr, a oedd ar herw bellach, yn llechu rywle ym mynyddoedd Eryri; dyna oedd y diwedd ar ei wrthryfel, a gellid anghofio amdano bellach.

Wrth nesáu at Lundain, teimlai Henry'n llawer brafiach.

Yr Hen Alwad

Roedd y dydd Iau a ddilynodd Diwrnod y Saint yn ddiwrnod llwyd a diflas iawn yn San Steffan, ond doedd hynny ddim yn syndod o ystyried mai dechrau mis Tachwedd oedd hi.

Tynnodd Adam o Frynbuga ei glogyn yn dynnach amdano wrth i'r gwynt oer chwibanu'n greulon ar hyd y coridor unig. Doedd ef ddim yn dymuno dal y ffliw, er bod y gwres a deimlai yn ei gorff y dyddiau hyn yn debyg iawn i ryw aflwydd. Ond nid ef oedd yr unig Gymro a deimlai angerdd a thân gobaith yn llifo drwy'i wythiennau.

Roedd llawer o Gymry wedi dychwelyd eisoes, gan adael eu bywoliaeth a'u caethiwed yng nghaeau Lloegr. Roeddent wedi gwerthu eu celfi a'u cyfnewid am harneisi, meirch ac arfau. Clywodd Adam sibrydion yn Rhydychen am yr hyn oedd ar droed, ac yn wir, nid oedd wedi teimlo mor gyffrous ers pan oedd yn fyfyriwr yn y brifysgol ryw ddeuddeg mlynedd ynghynt.

Arferai fod yn ŵr ifanc penboeth, a chwaraeodd ran flaenllaw yn y rhyfeloedd stryd a welid bryd hynny rhwng myfyrwyr y gogledd a'r de, a myfyrwyr Cymru. Cafwyd helyntion yno am ddwy flynedd gyfan – ac nid rhyw fân gweryla diniwed 'chwaith. Na, roedd y brwydro'n ffyrnig iawn ar adegau – yn derfysgoedd gwaedlyd a barodd i sawl un golli'i fywyd.

Ysgydwodd Adam ei ben wrth gofio am ddigwyddiadau'r gorffennol. Yn ystod y flwyddyn gyntaf, gyrrwyd y gogleddwyr i gyd o'r brifysgol, ac ef, Adam o Frynbuga, gafodd y bai. Ni allai wadu ei fod wedi chwarae rhan flaenllaw yn y cyfan. Ac am ffŵl, yn aberthu'i yrfa i gyd er mwyn gwleidyddiaeth, balchder a rhagfarn, bron! Ond wedi dweud hynny, roedd yn arweinydd penigamp!

Y flwyddyn ganlynol, pan dybid fod popeth drosodd, dychwelodd y gogleddwyr i Rydychen, gan ymgasglu yn ystod y nos a gorfodi'r Cymry i aros yn eu llety. Torrwyd i mewn i rai neuaddau a lladdwyd rhai Cymry. Oni bai am gymorth Neuadd Merton, a gryfhaodd eu niferoedd ar y trydydd diwrnod yn ogystal â chodi ysbryd y Cymry, byddai'r terfysgoedd wedi bod yn llawer gwaeth.

Cawsant eu herlid wedyn gan Thomas Speke, y caplan, a llu o'i ddilynwyr. Gyrrwyd saethau ar eu holau yn y strydoedd a chawsant eu hel o'u llety. Anafwyd rhai a lladdwyd eraill, a thrwy'r amser, gellid eu clywed yn llafarganu: 'Rhyfel! Rhyfel! Rhyfel! Lladd! Lladd! Lladd! Lladd y Cymry i gyd!'

Addawodd Adam iddo'i hun na fyddai'n mynd i helynt fyth eto ac y byddai'n byw'n agos i'w le. Nid oedd am beryglu'i yrfa mwyach; roedd yn ddigon galluog i fod yn esgob yn fuan iawn. Pam felly, ei fod yn cuddio yn y cysgodion y tu ôl i wal isel mewn stryd gefn, gul ar y noson arbennig hon? Gwyddai Adam yr ateb cyn gofyn y cwestiwn.

Yr hen alwad oedd yn gyfrifol.

Waeth pa mor galed y ceisiai fynd i ryw gyfeiriad i ddilyn ei uchelgais, byddai'r hen alwad yn ei dynnu'n ôl bob tro – yn greulon ar adegau, wrth iddo'i atgoffa o ble y daeth ac i bwy yr oedd yn perthyn.

Yn gynharach yn ystod y flwyddyn honno, clywodd Adam bedair cloch cysegr Sant Edward yn San Steffan yn canu; nid oedd dyn ar eu cyfyl i'w canu nac ychwaith gwynt i'w symud. Buont yn canu'n uchel bedair gwaith, ac ni ellid egluro pam.

Clywodd o'i dref enedigol fel roedd yr afon, a fu unwaith yn goch gan waed pen y Tywysog Llywelyn, yn llawn o waed newydd am ddiwrnod cyfan. Sut fedrai anwybyddu'r alwad hon, â'r holl angerdd a deimlai at Gymreictod ei enaid? Dro ar ôl tro, gwelai lun y clerc ifanc yn Rhydychen yn gwyro allan o'i ffenestr i wylio'r orymdaith y tu allan yn fyw yn ei feddwl. Daliodd y clerc hwnnw lygad un o'r arglwyddi Cymreig a farchogai heibio, ac yn ei lygaid gwelodd falchder ac urddas ei genedl ei hun.

Craffodd Adam yn nüwch y stryd wrth iddo chwilio am ei weision, Edward a Richard. Ni allai weld yr un ohonynt, nac unrhyw un o'r lleill. Ond dechreuodd ei galon guro'n gyflym pan glywodd sŵn march yn nesáu'n nerfus tuag ato. Clywai ei farchog yn ei annog ymlaen yn dyner gyda 'Hei, hei!' tawel, ac yna'n llai amyneddgar: 'Duw annwyl! Be sy'n bod arna ti Bayard? Dos yn dy flaen er mwyn dy feistr yn awr, neu mi deimli gledr llaw Walter Jakes ar dy gefn. Nawr – yn dy flaen, hei, hei.'

Gan synhwyro bod rhywbeth o'i le, gweryrodd y march yn uchel nes gyrru iasau i lawr asgwrn cefn Adam. Ni fedrai ddioddef rhagor.

Cyn iddo wybod sut, na beth roedd yn ei wneud, roedd wedi camu i'r ffordd ac wedi cydio yng nghyfrwy'r ceffyl. Teimlai anadl poeth yr anifail ar ei wyneb. Rhedodd y lleill o'u cuddfannau hefyd gan lusgo Walter Jakes i'r llawr a neidio arno wrth iddo ysgwyd yn y baw.

Dygwyd ei bwrs o'i wregys, ac ymhen dau funud diflannodd pawb i fyny'r strydoedd cefn i ganol y nos. Gan gydio'n dynn yn ffrwyn y march gydag un llaw, ac ym mhlygiadau ei glogyn gyda'r llall, rhedodd Adam am ei fywyd, â'i weision yn dynn wrth ei sodlau. Protestiai Bayard yn ffyrnig yn erbyn cael ei lusgo y tu ôl iddynt hwy.

Wedi rhedeg cryn bellter, roedd Adam wedi colli'i wynt yn lân a bu'n rhaid iddo aros am ysbaid.

Bobol bach, roeddent wedi llwyddo. Roeddent wedi cael march arall ar gyfer gwrthryfel Owain.

Os credai Henry, brenin Lloegr, na fyddai Owain Glyndŵr, tywysog cyfreithlon Cymru, yn ei boeni eto, roedd yn gwneud camgymeriad mawr iawn. Y funud honno, roedd neuaddau Glyndyfrdwy'n llawn cyfeddach a chân, a beirdd o bob cwr o Gymru'n heidio yno i dalu gwrogaeth i Owain.

Y Coed Derw

Roedd hi'n noson dyner. Anadlodd John Massey burder hyfryd awyr y gwanwyn wrth iddo gerdded ar draws y llwybr o'r castell i'r stryd a arweiniai at yr eglwys. Teimlai mor falch o weld fod y tywydd braf wedi cyrraedd o'r diwedd, a bod y gaeaf oer y tu cefn iddo. Gweddai'r tywydd i'r dim i'w hwyliau y noson arbennig hon, am iddo fod yn hapus iawn gyda phethau fel ag yr oeddent. Roedd popeth wedi rhedeg mor esmwyth iddo yn ystod y misoedd diwethaf.

Roedd wedi bod yn was ffyddlon i Richard tra bu hwnnw'n frenin. Henry oedd ar yr orsedd bellach, ond cafodd Massey ei ddewis i'w wasanaethu yntau hefyd ac roedd bellach yn warcheidwad castell Conwy ac roedd popeth yn edrych yn dda iddo.

Gorymdeithiai ei ddynion y tu ôl iddo tua'r eglwys, gan roi hwb i'w hunanhyder fel eu cadfridog. Ychwanegai clychau soniarus yr eglwys ryw naws arbennig i'r orymdaith hefyd wrth iddynt nesáu at yr addoldy ar gyfer gwasanaeth y Pasg.

Yn y coed ar y bryncyn y tu ôl i'r castell, gorweddai Rhys ap Tudur yn erbyn boncyff garw'r dderwen fawr gan ymestyn ei freichiau a'i goesau.

Wrth edrych i fyny, gwelai awyr ffres mis Ebrill rhwng y dail ir uwch ei ben. Gwenodd wrtho'i hun wrth gofio am eiriau bardd y teulu. Cymharai ef ei dad a'i ewyrth – a'r teulu cyfan mewn gwirionedd â choed derw praff, yn ymestyn eu canghennau yn bell ac yn cynnig cysgod a gwarchodaeth i bawb a safai islaw. Clywodd sŵn colomen yn galw yn y coed, ac eisteddodd i fyny mewn braw. Daeth pen Gwilym i'r golwg heibio'r boncyff. Gwenodd Rhys yn gynnes a chydiodd yn chwareus ym marf coch ei frawd.

'Bobol bach, Gwilym,' tynnodd goes ei frawd, 'rwyt ti'n edrych fel dyn wedi colli'i ben.'

'Does dim byd yn bod ar fy mhen i Rhys, ond mi hoffwn dy weld di'n ymgroesi wrth wneud sbort o rywbeth mor ddifrifol.'

'Rwy'n addo i ti,' atebodd Rhys, 'y bydd gan Massey yn fuan iawn gur mor fawr yn ei ben fel na fydd yn medru gwneud dim byd yn ei gylch.'

'Nid dim ond Massey, frawd – fydd Hotspur ddim yn rhy hapus chwaith. Ar y llaw arall, bydd ein cefnder Owain a'r brodyr yn Llanfaes wrth eu boddau.'

Gwenodd y ddau ar ei gilydd.

'Cofia di fy ngeiriau i, Gwilym; bydd crib Hotspur wedi'i dorri'n fuan iawn. Ef sy'n gyfrifol am Gonwy bellach, ac heb os nac oni bai, mi fydd Massey'n cael ei gosbi'n hallt am fethu fel gwarcheidwad.'

'Y ffŵl gwirion iddo fo!' atebodd ei frawd. 'A gwell fyth, bydd Henry Bolingbroke yn gorfod cynnig pardwn i ni os ydyw am gael ei gastell yn ôl.' Amneidiodd Rhys gan gytuno.

'Ydi'r gwarchodlu yn yr eglwys?' gofynnodd.

'Ydi, mae pawb yn brysur yn gweddïo ar wahân

i'r ychydig sydd ar ôl yn y castell. Rhaid i mi fynd Rhys, mae'r saer bron wrth y drws. Duw fo gyda thi.'

'A thithau hefyd,'atebodd Rhys, a chydiodd y ddau frawd yn nwylo'i gilydd cyn ffarwelio.

Ymhen eiliadau, roedd Gwilym a rhyw ddeugain o'i ddynion yn cychwyn o'r coed at waelod y graig. Roedd dau filwr yn gwarchod y castell tra oedd y gweddill yn yr eglwys. Gwyrodd y ddau yn fusneslyd wrth weld dyn ar ei ben ei hun yn dynesu at y drws. Gŵr byr, barfog ydoedd, ond yn llydan ei ysgwyddau. Gwisgai ddillad cyffredin iawn, gŵn wlân at ei bengliniau, mwgwd blêr yn crogi o amgylch ei wddw, a chyllell yn crogi'n rhydd wrth ei gluniau. Cerddai'n hamddenol braf i fyny'r grisiau cerrig serth at y drws. Chwibanai'n llawen ac yn ei ddwylo, cariai arfau gwaith.

'Helo 'na,' gwaeddodd ar y gwarcheidwaid, 'y saer wedi cyrraedd at ei waith.'

'Pa waith ydi hwnnw, mor hwyr â hyn?' holodd y milwr agosaf ato.

'Diolch i chi am ofyn, byddai'n llawer gwell gen i fod adref yn fy ngwely nag yn gweithio'n galed yn fan hyn.'

Chwarddai'r milwyr wrth agor y drws iddo, ond pharhaodd hynny ddim yn hir. Wedi eu crogi, rhoddodd y saer arwydd i Gwilym ap Tudur ac ar ôl llosgi'r dref, aeth Gwilym a'i ddynion i fyny i'r castell.

Wrth i'r gwasanaeth dynnu tua'i derfyn, ac wrth i bawb syllu mewn anghrediniaeth llwyr ar y mwg a'r fflamau, rhedodd Massey allan o'r eglwys gan sgrechian gorchmynion a rhegi'r Cymry. Roedd am i'w heneidiau gael eu gwerthu i'r diafol, ond roeddent yn ddiogel y tu mewn i'r castell.

Yn y coed trwchus y tu draw, trodd Rhys yn fuddugoliaethus i edrych ar ei ddynion. Roedd pawb yn wên o glust i glust.

'Mi chwaraewn bêl-droed gyda'u pennau, Owain Glyndŵr,' sibrydodd Rhys wrtho'i hun.

Roedd Hotspur yn wallgof.

Er mai cwta ddeg ar hugain ydoedd, roedd wedi ymladd sawl brwydr fawr yn y gorffennol ac roedd yn enwog ledled y wlad am ei ddewrder. Dynwaredid ei atal dweud hyd yn oed fel arwydd o barch tuag at ei boblogrwydd.

Rhuthrodd i Gonwy fel tarw gwyllt yn ei arfwisg ysblennydd. Gwylltiodd fwyfwy wrth weld Gwilym a'i ddeugain dyn yn chwerthin am ben ymdrechion tila'r pum cant o ddynion arfog a ddaeth yn gwmni iddo. Nid oedd y peiriannau rhyfel na'r canon yn chwalu dim ar furiau'r gaer gadarn. Yn y diwedd, bu raid iddo ildio, ac yn llawn cywilydd, trodd Hotspur yn ôl am Gaernarfon, lle gweithredai fel Ustus Gogledd Cymru. Gadawodd ei lu wedi cau o amgylch castell Conwy.

Oni châi ef fynd i mewn at y gelyn, byddai'n rhaid i'r gelyn un ai ddod allan ymhen amser, neu lwgu.

Ni fyddai'r bwyd yn y castell yn para am byth. Oni allai Hotspur a'i ddynion fynd i mewn, ni allai Rhys gynorthwyo'i frawd mewn unrhyw ffordd ychwaith, â'r fath fyddin yn amgylchynu'r castell.

Cynigiodd Gwilym ildio'r castell am ryddid iddo ef ei hun a'i ddynion.

Dymunai Hotspur dderbyn y cynnig er mwyn rhoi diwedd ar y mater, ond roedd y cyngor yng Nghaer a Henry ei hun yn anghydweld. Parhaodd y gwarchae.

'Fe syrthiodd y castell hwn o ganlyniad i ddiofalwch pobl Henry Percy,' ysgrifennodd Henry at ei fab, 'felly gadewch i Hotspur, ein cefnder annwyl a ffyddlon, ei gael yn ôl heb ildio dim i'r rebeliaid hyn, a thalu'r pris.'

Yn y man, daethpwyd i gytundeb ym mis Gorffennaf. Roedd Gwilym i roi naw o'i ddynion i'r ustus, er mwyn iddo ef a gweddill ei lu gael pardwn. Gan fod y rhan fwyaf o'r dynion yn cysgu y noson honno, galwodd Gwilym ei arweinwyr ynghyd i ddewis naw enw. Clymwyd y rhai a ddewiswyd a'u rhoi i Hotspur. Fe'u lladdwyd yn ddiymdroi.

Cafodd Gwilym a phawb ond am naw o'i ddynion bardwn a rhyddid i fyw.

Cafodd Hotspur ei gastell a chafodd Henry ddial.

Penderfynodd Hotspur ddychwelyd i'w wlad enedigol yn y gogledd. Anghytunai â ffordd y brenin o weithredu ynghylch sawl peth, a theimlai nad oedd wedi dangos unrhyw werthfawrogiad iddo am

ei ffyddlondeb.

Gan adael ei faterion yng Nghymru yn nwylo ei dderbynnydd, teithiodd Hotspur a'i lu tua'r gororau. Ond roedd am ymweld ag un llecyn arbennig cyn iddo adael y wlad.

Disgwyliai ei ddynion yn amyneddgar yn y glaw ysgafn y tu allan i eglwys fechan anghysbell, a thynnai'r meirch yn fodlon ar eu ffrwynau gwlyb wrth gnoi'r glaswellt melys, ffres o amgylch eu carnau.

Erbyn i Hotspur ddychwelyd rai munudau'n ddiweddarach, roedd yr haul wedi torri drwy'r cymylau. Arweiniodd Hotspur ei gwmni ar garlam ar draws y dolydd heb edrych yn ôl unwaith.

Tywynnai'r haul i mewn drwy'r ffenestr gan daflu cysgod dyn ar hyd y llwybr cul rhwng y seddi. Eisteddodd, ac aros nes i'r cysgodion ddiflannu ac nes i'r haul, wedi cael digon ar hwyl y dydd, ei adael ar ei ben ei hun.

Ymhen hir a hwyr, cododd Owain Glyndŵr a mynd allan.

Roedd y nos yn dywyll, heb seren uwchben, wrth iddo gerdded yn ei flaen ar hyd yr hen lwybrau. Doedd y tywyllwch ddim yn codi ofn arno. Roedd yn gwybod yn union i ble'r oedd yn mynd.